400 recettes

pour amoureux

Héloïse Martel

ISBN : 978-2-7540-2083-1
Dépôt légal : 1er trimestre 2011

Couverture : Chrystel Proupuech
Conception graphique : Chrystel Proupuech
chrystel@pinkpurplepaper.com
Maquette : Olivier Frenot
Photographie de couverture : Soizic Landais

Éditions First – Gründ
60, rue Mazarine
75 006 Paris – France
Tél. : 01 45 49 60 00
Fax : 01 45 49 60 01
firstinfo@efirst.com
www.editionsfirst.fr

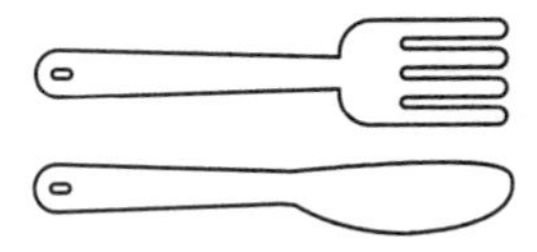

Introduction

La tendresse et les câlins, c'est bien. Mais partager des moments de plaisir devant une belle assiette fait également partie de la vie à deux. Elle est gourmande ? Il est épicurien ? Tant mieux. La séduction passe aussi par la table. Réservez-lui un dîner aux chandelles, prévoyez un tête-à-tête gourmand après le cinéma, paressez avec un brunch raffiné les jours de grasse matinée. Et pourquoi ne pas cuisiner en duo ? Nous avons tout prévu !

Premier rendez-vous, anniversaire d'une rencontre, d'un mariage, Saint-Valentin… Les occasions ne manquent pas de célébrer l'amour autour d'une belle table.

À vous de choisir votre menu en fonction de ses goûts.

Épatez-le(la) avec des recettes élégantes : cassolettes de langoustines et champignons, bar au fenouil, feuilles sablées aux framboises…

Surprenez-le(la) avec des plats exotiques : féroce d'avocat, cari de poulet, poêlée d'ananas au poivre du Sichuan…

Rassurez-le(la) avec des plats traditionnels, montrez-lui que vous cuisinez aussi bien (mieux ?) que sa maman : aspic de petits légumes au cerfeuil, cailles aux raisins, mousse au chocolat très noire…

Étonnez-le(la) avec un snack : feuilletés aux girolles, salade de mâche au saumon et baies roses, chiffonnade de magrets fumés aux poires…

Enchantez-le(la) avec un brunch raffiné : œufs en brioche, tartines aux fraises, jus de fruits aux épices…

Il ne vous reste plus qu'à ranger la maison, mettre le couvert, prévoir une musique douce, un éclairage tamisé. Quelques idées de déco : des bougies de chauffe-plat déposées dans des coupelles en verre, des branches de lierre ou des pétales de rose sur la nappe, un ruban de raphia de couleur noué autour de la serviette. Lorsque vous aurez composé le menu, pensez aux boissons qui l'accompagneront : champagne, vin, eau. Placez les bouteilles au réfrigérateur plusieurs heures à l'avance si nécessaire.

Placez les couverts et les assiettes de rechange à portée de main pour ne pas avoir à vous déplacer souvent. Et éteignez votre portable pour être tout à elle ou toute à lui !

Voici 400 recettes à partager avec l'élu(e) de votre cœur.

Les recettes sont pour deux, bien sûr !

Mises en bouche

BILLES DE MOZZARELLA, TOMATES CERISE, POIVRE ET CITRON

(6 pièces) Préparation : 10 min – Marinade : 1 h

6 mini billes de mozzarella • 6 tomates cerise grappe • ¼ de citron non traité • ½ cuil. à soupe de poivre concassé • sel

Réalisation

Prélevez le zeste du quartier de citron, râpez-le finement, mélangez-le dans un bol avec le poivre concassé. Égouttez les billes de mozzarella, placez-les dans le bol, mélangez délicatement pour que le fromage soit enrobé de citron et de poivre. Couvrez le bol et laissez mariner au frais pendant 1 heure. Égrappez les tomates cerise. Embrochez sur une petite pique en bois une tomate et une bille de mozzarella. Déposez dans des mini verrines. Servez frais.

BONBONS DE FOIE GRAS

(6 bonbons) Préparation : 10 min – Cuisson : 5 min

125 g de foie gras cru • 1½ feuille de brick • 15 g de beurre • fleur de sel, poivre du moulin

Réalisation

Faites fondre le beurre dans une casserole à feu très doux et retirez le dépôt blanc qui s'est formé afin d'obtenir un beurre clarifié. Coupez la feuille de brick en quatre et la demi-feuille en deux. Coupez le foie gras en six cubes de même taille. Préchauffez le four à 240 °C (th. 8). Déposez au centre de chaque quart de feuille un cube de foie gras, salez, poivrez et refermez bien hermétiquement le brick, badigeonnez-le de beurre fondu et déposez sur la plaque du four. Enfournez et laissez cuire pendant 5 minutes en surveillant la couleur des bricks. Retirez du four, laissez tiédir les bonbons.

CAROTTES CONFITES AUX ÉPICES

(6 verrines) Préparation : 5 min – Cuisson : 30 min

3 carottes • 1 cm de gingembre frais • 3 branches de coriandre • 1½ cuil. à soupe d'huile d'olive • sel, poivre

Réalisation

Pelez les carottes et coupez-les en rondelles très fines. Pelez et râpez le gingembre. Mettez les carottes et le gingembre dans une casserole, salez, poivrez, arrosez d'huile et ajoutez 2 cl d'eau. Faites cuire à feu très doux pendant 30 minutes en mélangeant de temps en temps. Ajoutez un peu d'eau si nécessaire. Les carottes doivent être très tendres et confites. Laissez refroidir avant de répartir dans des verrines. Décorez de coriandre ciselée.

CIGARETTES AU THON

(4 cigarettes) Préparation : 10 min – Cuisson : 3 min

1 feuille de brick • 75 g de thon au naturel • quelques brins de coriandre • huile de friture • sel, poivre

Réalisation

Ciselez la coriandre, égouttez le thon, mélangez, salez et poivrez. Coupez la feuille de brick en quatre, farcissez-les et roulez-les pour leur donner la forme de cigarettes. Faites-les frire pendant 3 minutes dans l'huile bien chaude, puis déposez-les sur un papier absorbant. Servez chaud.

CRABE À L'AVOCAT

(6 verrines) Préparation : 10 min

1½ avocat • 1 tomate grappe • ½ sachet de miettes de crabe • 50 g de fromage blanc • ½ citron • 1 branche de persil plat • sel, poivre

Réalisation

Pelez et épépinez la tomate, coupez la chair en dés. Ouvrez les avocats, ôtez le noyau et coupez la chair en dés également. Mettez les dés de tomate et d'avocat dans un saladier, ajoutez les miettes de crabe. Pressez le demi-citron, hachez le persil. Battez le jus de citron avec le fromage blanc, le persil, du sel et du poivre. Versez la sauce dans le saladier et mélangez délicatement. Répartissez dans des verrines. Servez bien frais.

CREVETTES À L'ANANAS

Préparation : 10 min

4 grosses crevettes roses • 1 tranche d'ananas au sirop • 1 cuil. à soupe de lait de coco • ½ citron vert • 2 branches de coriandre • sel, poivre

Réalisation

Décortiquez les crevettes et coupez-les en morceaux. Coupez la rondelle d'ananas en petits morceaux également. Mettez les crevettes et l'ananas dans un saladier. Pressez le demi-citron vert en recueillant le jus dans un bol. Ajoutez du sel, du poivre,

le lait de coco et la coriandre ciselée finement. Versez sur les crevettes et les morceaux d'ananas, mélangez et répartissez dans deux verrines. Servez frais.

FEUILLES À LA FLEUR DE SEL

Préparation : 10 min – Attente : 2 h – Cuisson : 15 min

80 g de farine • 30 g de beurre mou • 1 œuf + 1 jaune • 1 cuil. à soupe de lait • fleur de sel

Réalisation

Pétrissez la farine avec l'œuf entier battu. Roulez la pâte en boule, recouvrez-la et mettez-la au frais pendant 2 heures. Préchauffez le four à 180 °C (th. 6). Recouvrez la plaque du four de papier sulfurisé. Étalez la pâte finement, découpez des carrés de 3 cm de côté. Dorez-les au jaune d'œuf mélangé au lait. Parsemez-les de fleur de sel. Faites cuire pendant 10 à 15 minutes. Ôtez-les de la plaque et laissez refroidir.

FOIE GRAS AU CHUTNEY, CONCASSÉE DE FRUITS SECS

(6 cuillères) Préparation : 10 min – Cuisson : 20 min

75 g de foie gras • 1½ pomme • 1,5 cm de gingembre • 50 g de sucre • 5 cl de vinaigre de cidre • 25 g de fruits secs mélangés (noix, noisettes, amandes)

Réalisation

Épluchez les pommes, émincez-les. Pelez et râpez le gingembre. Mettez les pommes et le gingembre dans une casserole, arrosez de vinaigre, ajoutez 8 cl d'eau, saupoudrez de sucre, mélangez, couvrez et faites cuire à feu très doux pendant 20 minutes en mélangeant souvent. Retirez du feu quand les pommes sont réduites en compote. Laissez tiédir. Découpez le foie gras en copeaux ou en lamelles. Concassez les fruits secs. Mettez un peu de chutney dans des cuillères de présentation, déposez dessus une lamelle de foie gras et saupoudrez de fruits secs concassés.

GOUGÈRES FARCIES AU TARAMA

Préparation : 10 min – Cuisson : 40 min

2 œufs • 70 g de farine • 45 g de beurre • 10 cl de crème liquide • 50 g de tarama • sel, poivre

Réalisation

Versez 12 cl d'eau dans une casserole, ajoutez le beurre et une pincée de sel et de poivre. Faites bouillir. Retirez du feu et jetez-y la farine en une seule fois. Remuez énergiquement avec une spatule en bois. Remettez sur feu doux sans cesser de remuer ; la pâte doit se détacher des bords de la casserole. Retirez du feu. Ajoutez les œufs entiers l'un après l'autre en mélangeant bien. Préchauffez le four à 180 °C (th. 6). Recouvrez la plaque du four d'un papier sulfurisé. Déposez des noisettes de pâte à l'aide de deux cuillères à café ou d'une poche à douille. Faites cuire 30 minutes en surveillant la couleur. Les gougères doivent être bien gonflées et dorées. Laissez-les refroidir. Fouettez la crème liquide jusqu'à ce qu'elle soit épaisse, ajoutez délicatement le tarama et farcissez les gougères avec ce mélange, soit en les coupant en deux dans le sens horizontal, soit en utilisant une poche à douille. Servez à température ambiante.

HOUMOUS AUX PIGNONS, MOUILLETTES DE CRUDITÉS

Préparation : 10 min – Cuisson : 15 min

½ boîte de pois chiches • 1 citron • 3 cuil. à soupe d'huile d'olive • 1 cuil. à soupe de purée de sésame • 2 cuil. à soupe de pignons • 2 carottes • 6 radis roses • sel, poivre

Réalisation

Égouttez les pois chiches, mettez-les dans une casserole, recouvrez-les d'eau et faites-les cuire pendant 15 minutes. Égouttez-les et mixez-les avec un peu de sel et de poivre. Laissez refroidir. Pendant ce temps, pelez les carottes, coupez-les en longs bâtonnets. Épluchez les radis, coupez-les en deux dans leur hauteur. Mélangez la purée de pois chiches avec le jus de citron, l'huile d'olive et la purée de sésame. Faites griller les pignons à sec dans une poêle. Répartissez le houmous dans deux verrines, décorez de pignons et plantez des bâtonnets de carottes et de radis. Servez frais.

MINI BOUCHÉES FEUILLETÉES AU CURRY

Préparation : 10 min – Cuisson : 20 min

8 petites bouchées en pâte feuilletée • 3 gros champignons • 3 petites quenelles à la volaille • 15 g de beurre • ½ cuil. à soupe de farine • 5 cl de crème • 1 cuil. à soupe de curry en poudre • sel, poivre

Réalisation

Mettez les bouchées sur la plaque du four et faites-les réchauffer à four doux, 120 °C (th. 4), pendant 10 minutes. Lavez et essuyez les champignons, émincez-les finement et faites-les revenir dans une noisette de beurre pendant environ 5 minutes. Coupez les quenelles en rondelles. Faites fondre le reste de beurre dans une casserole, saupoudrez de farine, mélangez et laissez cuire pendant 2 minutes puis délayez peu à peu avec la crème. Salez, poivrez, ajoutez le curry. Farcissez les bouchées avec cette préparation et servez chaud ou tiède.

MINI CAKES AU GRUYÈRE

(6 mini cakes) Préparation : 10 min – Cuisson : 15 min

2 œufs • 100 g de gruyère râpé • 50 g de farine • 7 cl de lait • 7 cl d'huile • ¼ de sachet de levure • sel, poivre

Réalisation

Préchauffez le four à 150 °C (th. 5). Versez la farine et la levure dans une jatte, cassez les œufs, ajoutez une pincée de sel et de poivre, le lait et l'huile. Battez au fouet jusqu'à ce que la pâte soit homogène et incorporez le fromage râpé. Versez la

pâte dans les alvéoles d'une plaque de cuisson en silicone. Enfournez et laissez cuire pendant 15 minutes en surveillant la couleur. Démoulez les mini cakes et laissez-les tiédir sur une grille.

MOULES ET CHORIZO À LA CORIANDRE

(6 cuillères) Préparation : 10 min – Cuisson : 5 min

6 grosses moules d'Espagne • 6 rondelles de chorizo • 2 branches de coriandre • sel, poivre

Réalisation

Lavez soigneusement les moules, mettez-les dans une casserole avec une cuillerée à soupe d'eau, un peu de sel et de poivre et faites-les ouvrir à feu vif en secouant la casserole pendant 3 à 5 minutes. Retirez-les du feu dès qu'elles sont ouvertes et laissez-les refroidir. Décoquillez-les. Faites dorer les rondelles de chorizo à sec dans une poêle à revêtement antiadhésif pendant 1 minute. Ciselez finement la coriandre. Roulez les moules dans la coriandre, entourez-les d'une rondelle de chorizo et disposez-les sur des cuillères de présentation.

PETITS BOUDINS BLANCS, COMPOTE DE POMMES ET LARD FUMÉ

(6 cuillères) Préparation : 10 min – Cuisson : 25 min

6 mini boudins blancs • 1 pomme • 3 tranches très fines de lard fumé • 10 g de beurre • ½ cuil. à soupe de sucre • ½ branche de persil • sel, poivre, sucre

Réalisation

Pelez la pomme, coupez-la en dés, mettez-les dans une casserole avec une cuillerée à soupe d'eau et une cuillerée à soupe de sucre. Faites cuire à feu doux pendant 15 minutes en mélangeant. Écrasez les pommes à la fourchette en fin de cuisson. Coupez les tranches de lard en deux. Faites cuire les petits boudins à la poêle dans le beurre à feu doux pendant 5 à 6 minutes, puis ajoutez les demi-tranches de lard. Poursuivez la cuisson pendant 2 minutes. Déposez un peu de compote dans les cuillères. Enveloppez les petits boudins dans une demi-tranche de lard, mettez-les dessus et décorez de feuilles de persil ciselées.

Coup de cœur : *vous pouvez aussi réaliser cette recette avec des petits boudins noirs.*

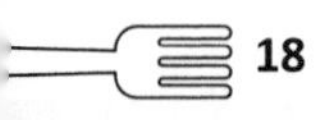

POMMES DE TERRE RATTE À L'ANCHOÏADE

(6 pièces) Préparation : 10 min – Cuisson : 15 min

3 pommes de terre ratte de même taille • ½ pot d'anchoïade • 2 branches de persil plat

Réalisation

Faites cuire les pommes de terre à l'eau pendant 15 minutes, égouttez-les, laissez-les tiédir et pelez-les. Coupez-les en deux en leur milieu, puis découpez une petite lamelle à la base de chaque moitié afin qu'elle soit stable. Évidez délicatement un peu de pulpe dans chaque moitié de pomme de terre et remplacez par une cuillerée à café d'anchoïade. Décorez d'une feuille de persil plat.

Coup de cœur : *remplacez l'anchoïade par du tarama et décorez de quelques œufs de saumon.*

TARTINES AU BEURRE D'AMANDES

Préparation : 10 min – Cuisson : 30 secondes

¼ de baguette • 50 g d'amandes effilées • 50 g de parmesan • 10 feuilles de basilic • 2 cuil. à soupe d'huile d'olive • sel, poivre

Réalisation

Mixez grossièrement les amandes avec le parmesan, l'huile, le basilic, un peu de sel et de poivre. Coupez la baguette en tranches fines, tartinez-les avec cette préparation. Déposez les tartines sur la plaque du four, faites griller pendant quelques secondes. Servez tiède.

TOMATES CERISE AU SAUMON MARINÉ

Préparation : 10 min – Marinade : 1 h

12 tomates cerise • 100 g de saumon cru • ½ citron vert • ½ bouquet d'aneth • 5 cl de crème fraîche épaisse • sel, poivre

Réalisation

Lavez les tomates, coupez un chapeau dans leur tiers supérieur, puis évidez-les avec une petite cuillère. Retournez-les pour qu'elles rendent leur eau. Hachez au couteau le saumon, arrosez de jus de citron vert, salez, poivrez. Laissez mariner 1 heure au frais. Mélangez le saumon avec la crème et l'aneth ciselé. Farcissez les tomates avec ce mélange. Laissez au frais en attendant de servir.

Entrées
romantiques

ASPIC DE PETITS LÉGUMES AU CERFEUIL

Préparation : 10 min – Cuisson : 10 min – Réfrigération : 2 h 15

150 g de petites fèves • 150 g de petits pois frais • 150 g de carottes nouvelles • 150 g de navets nouveaux • 6 pointes d'asperges vertes • ½ sachet de gelée instantanée • 1 bouquet de cerfeuil • 6 tomates cerise • huile d'olive • sel

Réalisation

Préparez la gelée selon le mode d'emploi indiqué sur le paquet. Laissez-la refroidir. Écossez les petits pois et les fèves. Lavez et essuyez les carottes et les navets, ôtez les fanes, tournez-les en forme d'olives. Rincez les pointes d'asperge avec précaution. Faites cuire séparément chacun de ces légumes à l'eau salée. Ils doivent être cuits al dente. Égouttez-les et laissez-les refroidir. Rincez deux cassolettes, versez-y 5 mm de gelée et faites prendre au réfrigérateur. Répartissez les légumes dans chaque cassolette en alternant les couleurs, arrosez de gelée, puis placez au réfrigérateur au moins 2 heures. Parsemez les assiettes de cerfeuil ciselé, démoulez les aspics dessus, décorez de trois tomates cerise et arrosez d'un filet d'huile d'olive.

BRIOCHES FARCIES AU ROQUEFORT

Préparation : 15 min – Cuisson : 10 min

2 brioches individuelles • 30 g de roquefort • 2 cuil. à soupe de crème fraîche • quelques gouttes de cognac • poivre du moulin

Réalisation

Préchauffez le four à 150 °C (th. 5). Retirez la tête des brioches, creusez-les légèrement en prenant soin de ne pas les percer. Dans un bol, mélangez le fromage et la crème. Ajoutez le cognac. Poivrez. Remplissez les brioches avec cette préparation. Posez les chapeaux par-dessus et passez au four pendant 10 minutes pour réchauffer les brioches.

Coup de cœur : *vous pouvez servir ces brioches sur un lit de salade de mesclun.*

CAPPUCCINO DE BISQUE DE HOMARD, LOTTE ET ANETH

Préparation : 15 min – Cuisson : 15 min

200 g de queue de lotte sans arête • 20 cl de bisque de homard • 5 cl de vin blanc sec • 10 g de beurre • 12 cl de crème fleurette • 2 branches d'aneth • sel, poivre

Réalisation

Préchauffez le four à 210 °C (th. 7). Faites réchauffer la bisque dans une casserole à feu doux en lissant au fouet, répartissez-la dans deux petites cocottes préchauffées. Tenez-les au chaud dans le four éteint. Coupez la lotte en petits cubes. Faites fondre le beurre dans une casserole, faites revenir la lotte à feu doux en remuant pendant 3 minutes, puis salez, poivrez et arrosez de vin blanc. Laissez cuire pendant 5 minutes et réservez. Fouettez la crème en chantilly. Sortez les cocottes du four, répartissez les morceaux de lotte, déposez une grosse cuillerée de crème fouettée et saupoudrez d'aneth. Servez immédiatement.

Coup de cœur : *vous pouvez remplacer la bisque par une soupe de poisson et la lotte par des moules pour une version plus économique de ce plat.*

CARPACCIO DE MAGRET DE CANARD FUMÉ AU MELON

Préparation : 10 min

1 melon • 1 sachet de magret de canard fumé • 2 cuil. à soupe de pignons • quelques feuilles de cerfeuil • 7 cl de vinaigre balsamique • sel, poivre

Réalisation

Ouvrez le melon en quatre, ôtez les graines et coupez la chair en fines lamelles. Enlevez le gras des tranches de magret fumé. Disposez les lamelles de melon et les tranches de magret sur deux assiettes en les intercalant. Salez et poivrez légèrement. Faites réduire le vinaigre balsamique dans une petite casserole et versez-le sur le carpaccio. Faites griller les pignons à sec dans une poêle à revêtement antiadhésif, parsemez-les sur les assiettes, terminez en décorant de feuilles de cerfeuil ciselées. Servez bien frais.

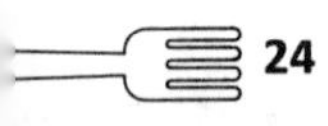

CARPACCIO DE MOZZARELLA AUX POIVRES

Préparation : 10 min – Marinade : 1 h

125 g de mozzarella (en bûchette) • ½ cuil. à soupe de poivre noir concassé • ½ cuil. à soupe de poivre vert concassé • ¼ de citron non traité • 1 cuil. à café d'origan • 1 cuil. à soupe d'huile d'olive • sel

Réalisation

Taillez la mozzarella en tranches très fines et disposez-les sur deux assiettes. Prélevez le zeste du quartier de citron avec un couteau économe et hachez-le. Mélangez dans un bol l'huile avec les poivres, le zeste de citron, l'origan et un peu de sel. Versez cette sauce sur les tranches de mozzarella et mettez au frais au moins 1 heure avant de servir.

CARPACCIO DE SAUMON AUX BAIES ROSES

Préparation : 15 min – Congélation : 30 min – Marinade : 1 h

300 g de saumon frais • 2 cuil. à soupe d'huile • 2 citrons • 2 cuil. à café de baies roses • sel, poivre

Réalisation

Placez le saumon enveloppé dans un film alimentaire au congélateur pendant environ 30 minutes pour pouvoir le trancher facilement. Pendant ce temps, préparez la marinade : pressez les citrons, versez le jus dans un bol, ajoutez l'huile, du sel et du poivre ainsi que les baies roses grossièrement concassées. Mélangez. Découpez le saumon en très fines lamelles, étalez-les sur une assiette légèrement huilée. Arrosez-les de marinade et laissez au frais pendant 1 heure avant de servir.

Coup de cœur : *accompagnez ce carpaccio de pain de campagne grillé chaud.*

CASSOLETTES DE LANGOUSTINES ET CHAMPIGNONS

Préparation : 10 min – Cuisson : 20 min

8 langoustines • 200 g de champignons (pleurotes, girolles...) • 75 g de beurre • 12 cl de crème fraîche • 2 tiges de persil plat • sel, poivre

Réalisation

Lavez et épongez les champignons, coupez-les en lamelles. Décortiquez à cru les langoustines. Faites-les cuire dans le beurre chaud en les retournant souvent pendant 5 à 8 minutes. Retirez-les. Faites revenir les champignons pendant 10 minutes dans la même poêle. Ajoutez la crème, salez, poivrez, remettez les langoustines, donnez un bouillon. Répartissez les langoustines et les champignons dans deux cassolettes, arrosez de sauce. Décorez de feuilles de persil plat. Servez bien chaud.

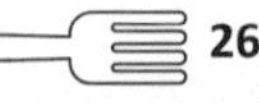

CHAMPIGNONS FARCIS

Préparation : 15 min – Cuisson : 15 min

4 gros champignons blancs • 1½ gousse d'ail • 1½ échalote • quelques brins de persil • 1 feuille de laurier • 2 noisettes de beurre • sel, poivre

Réalisation

Préchauffez le four à 180 °C (th. 6). Lavez les champignons, ôtez le pied. Placez les têtes de champignon dans un plat à four. Épluchez l'ail et l'échalote. Mettez dans le bol du mixeur les pieds de champignon, le persil, l'ail, l'échalote, la feuille de laurier, salez, poivrez. Mixez 2 secondes pour obtenir un gros hachis. Mélangez-le au beurre dans un bol. Remplissez les têtes de champignon avec cette préparation, et faites cuire à four chaud pendant 15 minutes.

Coup de cœur : *ce plat délicieux se sert en entrée ou en accompagnement d'une viande ou d'une volaille grillée. Vous pouvez aussi le proposer en plat unique pour un dîner léger en ajoutant des restes de jambon ou de viande que vous hacherez avec les herbes, et en saupoudrant les têtes de champignon de chapelure avant de les faire cuire.*

CHAMPIGNONS MARINÉS À L'HUILE ET AUX ÉPICES

Préparation : 10 min – Cuisson : 15 min – Marinade : 3 jours

300 g de champignons de Paris • 25 cl de vinaigre blanc • 25 cl d'huile d'olive • 1 feuille de laurier • 2 clous de girofle • ½ branche de thym • ½ cuil. à café de grains de poivre • sel

Réalisation

Lavez et essuyez les champignons. Mettez-les dans une casserole, couvrez-les de vinaigre et faites bouillir pendant 15 minutes. Égouttez-les, séchez-les et mettez-les dans un bocal avec les aromates, les épices et salez. Recouvrez d'huile et fermez hermétiquement. Laissez mariner pendant trois jours avant de consommer.

CLAFOUTIS AUX TOMATES CERISE

Préparation : 10 min – Cuisson : 50 min

250 g de tomates cerise • 2 œufs • 20 cl de crème liquide • 1 cuil. à soupe d'huile d'olive • ½ bouquet de ciboulette • sel, poivre

Réalisation

Préchauffez le four à 150 °C (th. 5). Lavez, essuyez les tomates, déposez-les verticalement dans un plat à four, arrosez-les d'un filet d'huile d'olive et faites-les cuire 30 minutes au four. Battez les œufs avec la crème, du sel, du poivre et la ciboulette ciselée. Versez le mélange dans un plat à four, posez les tomates les unes à côté des autres. Enfournez et laissez cuire pendant 20 minutes environ. Servez chaud ou tiède.

CŒURS D'ARTICHAUT AUX ÉPICES

Préparation : 10 min – Cuisson : 25 min

200 g de cœurs d'artichaut surgelés • 1 oignon • 1 cuil. à café de ras-el-hanout • 1 citron • 1 cuil. à soupe de miel • 1 cuil. à soupe d'huile d'olive • sel, poivre

Réalisation

Épluchez et hachez l'oignon. Pressez le citron. Faites chauffer l'huile dans une cocotte, faites revenir l'oignon, ajoutez les cœurs d'artichaut, saupoudrez de ras-el-hanout, salez, poivrez, arrosez de jus de citron et de miel, versez 10 cl d'eau. Mélangez, couvrez et laissez cuire pendant 20 minutes à feu très doux. Laissez refroidir avant de déguster.

COQUILLES SAINT-JACQUES EN SALADE

Préparation : 10 min – Cuisson : 5 min

8 à 10 coquilles selon la grosseur • ½ sachet de mâche épluchée • 25 g de parmesan • 1½ cuil. à soupe d'huile d'olive • ½ cuil. à café de vinaigre balsamique • sel, poivre

Réalisation

Lavez et séchez les coquilles. Rincez la mâche, essorez-la bien et disposez-la dans un plat creux. Versez dans un bol une demi-cuillerée à soupe d'huile d'olive, du sel et du poivre. Huilez les coquilles avec un pinceau et faites-les revenir dans une poêle à revêtement antiadhésif pendant 5 minutes en les retournant régulièrement. Préparez la vinaigrette en mélangeant le vinaigre balsamique, le reste d'huile d'olive, du sel et du poivre ; versez-la sur la salade et mélangez. Disposez les coquilles sur la salade. Formez avec un couteau économe des copeaux de parmesan, et répartissez-les sur le plat.

CRÈME D'AVOCAT AU PIMENT

Préparation : 10 min

2 gros avocats mûrs • 1 citron vert • 25 cl de bouillon de légumes • ½ cuil. à soupe de harissa • 2 cuil. à soupe d'huile d'olive

Réalisation

Mélangez dans un bol l'huile d'olive et la harissa. Pressez le citron vert. Ouvrez les avocats, retirez le noyau, prélevez la chair. Mixez-la avec le jus de citron et le bouillon de légumes. Versez la crème d'avocat dans deux bols. Placez au frais jusqu'au moment de servir. Déposez une cuillerée à soupe d'huile d'olive épicée au centre des bols.

ÉMINCÉ DE FENOUIL AU HADDOCK

Préparation : 15 min – Marinade : 1 h

1 bulbe de fenouil • 8 radis roses • 200 g de filet de haddock • 1 citron • 4 cuil. à soupe d'huile d'olive • 2 branches d'aneth • 1 cuil. à café de graines de fenouil concassées • sel, poivre

Réalisation

Découpez le haddock en fines lamelles. Émincez le fenouil. Épluchez et lavez les radis, coupez-les en rondelles. Placez ces ingrédients dans une jatte, salez, poivrez. Pressez le citron, versez le jus dans la jatte, ajoutez l'huile d'olive, les graines de fenouil et l'aneth ciselé, mélangez et laissez mariner au frais pendant 1 heure. Répartissez sur deux assiettes et servez bien frais.

FÉROCE D'AVOCATS

Préparation : 10 min – Cuisson 3 min

150 g de morue • 2 avocats • ½ piment • 1 gousse d'ail • 1½ oignon • 1½ citrons verts • 1 grosse cuil. à soupe d'huile d'arachide • sel, poivre

Réalisation

Épluchez et hachez les oignons et la gousse d'ail. Ouvrez le demi-piment, ôtez les graines. Pressez les citrons. Faites pocher la morue pendant 3 minutes à l'eau bouillante. Pendant ce temps, coupez les avocats en deux, ôtez le noyau, prélevez la chair. Rafraîchissez la morue en la passant sous l'eau froide. Placez dans le bol du mixeur la morue, la pulpe d'avocat, le piment, l'ail, l'oignon, le jus de citron, l'huile, salez, poivrez légèrement. Mixez jusqu'à obtention d'une purée homogène. Versez dans une terrine. Servez avec des tranches de baguette grillées.

FLANS D'ASPERGES À L'ESTRAGON

Préparation : 10 min – Cuisson : 40 min

6 asperges vertes • 2 œufs • 100 g de crème fraîche épaisse • 1 petite pincée de muscade • 1 branche d'estragon • sel, poivre

Réalisation

Épluchez les asperges en éliminant les tiges fibreuses. Faites-les cuire 10 minutes à l'eau bouillante salée, puis égouttez-les à fond sur un torchon. Coupez les têtes des asperges, réservez-les. Mixez les tiges des asperges avec les œufs, les feuilles d'estragon et la crème, ajoutez la muscade, du sel et du poivre. Préchauffez le four à 150 °C (th. 5). Beurrez deux ramequins. Versez la préparation dans les ramequins, faites cuire au bain-marie pendant 30 minutes. Décorez avec les pointes réservées et servez tiède.

FONDS D'ARTICHAUT FARCIS

Préparation : 15 min – Cuisson : 15 min

4 fonds d'artichaut cuits en conserve • 2 œufs • 100 g de brocciu • 2 cuil. à soupe de pignons • 2 cuil. à soupe de chapelure • 2 cuil. à soupe d'huile d'olive • sel, poivre

Réalisation

Préchauffez le four à 210 °C (th. 7). Déposez les fonds d'artichaut dans un petit plat à gratin. Mélangez dans un bol les œufs battus avec le brocciu, du sel, du poivre et les pignons. Farcissez les fonds avec cette préparation, saupoudrez de cha-

pelure, arrosez d'un peu d'huile d'olive et faites cuire pendant 15 minutes.

GUACAMOLE ET CREVETTES AU CURRY

Préparation : 10 min – Cuisson : 3 min

2 avocats mûrs • ¼ de sachet d'épices pour guacamole • 6 crevettes roses cuites • ½ cuil. à soupe d'huile d'olive • ½ cuil. à soupe de curry en poudre • ¼ de citron

Réalisation

Ouvrez les avocats, ôtez le noyau et retirez la pulpe avec une cuillère. Mixez-la avec les épices et répartissez-la dans deux coupelles. Décortiquez les crevettes. Faites chauffer l'huile dans une poêle à revêtement antiadhésif, mettez les crevettes, réchauffez-les pendant 2 minutes en les retournant, puis saupoudrez-les de curry. Déposez les crevettes au centre de chaque coupelle. Coupez le quartier de citron en deux, garnissez-en les coupelles et servez sans attendre.

Coup de cœur : *la pulpe d'avocat noircit vite à l'air libre. Il est préférable de préparer le guacamole au dernier moment.*

KIWIS SURPRISE

Préparation : 15 min

2 gros kiwis • 100 g de crabe au naturel • 1 échalote • 1 citron vert • 2 pincées de curry • 2 gouttes de Tabasco • 1 branche d'aneth • sel, poivre

Réalisation

Coupez un chapeau aux kiwis à un tiers de leur hauteur. Évidez-les délicatement avec une petite cuillère en prenant soin de ne pas percer la peau. Mettez la pulpe recueillie dans un saladier. Émiettez le crabe et rajoutez-le dans le saladier. Épluchez l'échalote et hachez-la finement. Pressez le citron vert. Ajoutez au contenu du saladier l'échalote hachée, le curry, le Tabasco, le jus de citron, un peu de sel et de poivre. Mélangez bien. Vérifiez l'assaisonnement qui doit être relevé. Remplissez les kiwis évidés avec cette préparation, posez-les sur des coquetiers. Parsemez le dessus d'aneth ciselé et servez bien frais.

Coup de cœur : *vous pouvez remplacer le crabe par des crevettes, et l'aneth par de la ciboulette.*

LANGOUSTINES À L'ORANGE

Préparation : 15 min – Cuisson : 15 min

10 langoustines • ½ orange non traitée • 2 tomates fermes • ½ salade feuille de chêne • ½ citron • 2 cuil. à soupe d'huile d'olive • sel, poivre du moulin

Réalisation

Lavez, essorez la salade, émincez-la en lanières et disposez-la sur deux assiettes individuelles. Faites pocher les langoustines à l'eau bouillante salée pendant 5 minutes, laissez-les refroidir, puis décortiquez-les. Coupez la chair en petits dés. Ébouillantez les tomates, pelez-les, épépinez-les et coupez la chair en dés également. Prélevez le zeste de l'orange avec un couteau économe, coupez-le en bâtonnets et faites-les blanchir 10 minutes à l'eau bouillante. Égouttez-les. Séparez les quartiers de l'orange, enlevez les peaux blanches et coupez-les en deux. Pressez le citron, mélangez le jus avec l'huile d'olive, salez, poivrez. Mélangez dans un saladier les dés de tomate et les dés de langoustine, arrosez de sauce. Répartissez ce mélange sur la salade et parsemez de zestes d'orange. Servez frais.

MÂCHE À L'ORANGE

Préparation : 10 min

½ sachet de mâche • 1 orange • 1 cuil. à soupe de vinaigre balsamique • 2 cuil. à soupe d'huile de tournesol • ½ cuil. à café de moutarde douce • sel, poivre

Réalisation

Lavez et essorez la mâche, mettez-la dans un saladier. Épluchez l'orange, séparez les quartiers, enlevez les peaux blanches et coupez les quartiers en fines tranches. Préparez la sauce en mélangeant la moutarde avec le vinaigre balsamique, un peu de sel et de poivre et l'huile. Disposez les lamelles d'orange sur la mâche et arrosez de sauce au moment de servir.

MOUSSE DE PIQUILLOS ET CHÈVRE FRAIS

Préparation : 10 min

6 piquillos • ½ chèvre frais • ½ gousse d'ail • 1 cuil. à soupe d'huile d'olive • ½ branche de basilic • sel, poivre

Réalisation

Pelez la gousse d'ail, effeuillez le basilic. Mixez-les avec le chèvre, les piquillos égouttés, l'huile, un peu de sel et de poivre. Répartissez dans deux petits ramequins. Servez frais.

Coup de cœur : *accompagnez de pain de campagne grillé.*

ŒUFS POCHÉS AU COULIS DE CRESSON

Préparation : 10 min – Cuisson : 15 min

2 œufs • 6 pointes d'asperges vertes • 1 botte de cresson • 5 cl de crème liquide • ½ cuil. à soupe de vinaigre • sel, poivre

Réalisation

Épluchez le cresson, lavez-le à grande eau, essorez-le. Faites-le fondre dans une casserole en remuant jusqu'à ce que l'eau soit évaporée. Égouttez-le à fond, mixez-le, remettez-le dans la casserole, salez, poivrez et arrosez de crème. Faites réchauffer à feu très doux. Réservez. Faites cuire les asperges à l'eau bouillante salée pendant environ 8 minutes. Égouttez-les, réservez-les au chaud. Faites pocher les œufs : faites frémir de l'eau avec le vinaigre dans une grande casserole. Cassez les œufs un par un dans une louche et plongez-les dans l'eau frémissante. Comptez 3 minutes de cuisson, puis retirez les œufs avec une écumoire et déposez-les sur un torchon plié. Nappez les assiettes de coulis de cresson, déposez un œuf au milieu, et disposez les asperges en buisson sur un côté de l'assiette.

PETITS FLANS AU CRABE

Préparation : 10 min – Cuisson : 20 min – Réfrigération : 2 h

3 œufs entiers + 1 jaune • 20 cl de crème liquide • 150 g de crabe en sachet ou en boîte • 4 cuil. à soupe de coulis de tomates • 1 cuil. à café de sauce Worcestershire • 20 g de beurre • sel, poivre

Réalisation

Égouttez et émiettez le crabe avec une fourchette en retirant les cartilages. Préchauffez le four à 180 °C (th. 6). Beurrez deux ramequins. Dans une jatte, fouettez les œufs entiers et le jaune puis incorporez la crème liquide, le coulis de tomates et la sauce Worcestershire. Ajoutez le crabe, salez, poivrez et mélangez. Versez la préparation dans les ramequins beurrés. Placez-les dans un plat à four rempli d'eau bouillante à mi-hauteur. Faites cuire au bain-marie pendant 20 minutes. Laissez refroidir les flans avant de les démouler. Mettez-les au frais recouverts d'un film alimentaire pendant au moins 2 heures.

Coup de cœur : *entourez ces flans de tomates cerise et de feuilles de mesclun. Vous pouvez les accompagner d'une sauce composée de crème liquide et de jus de citron.*

POIVRONS GRILLÉS

Préparation : 10 min – Cuisson : 30 min – Marinade : 3 h

2 poivrons rouges • 2 gousses d'ail • 4 filets d'anchois à l'huile • ½ cuil. à soupe de câpres • 3 cuil. à soupe d'huile d'olive

Réalisation

Essuyez les poivrons, faites-les griller sous le gril du four pendant 30 minutes. Pelez-les, épépinez-les et coupez la chair en fines lanières. Mettez les lamelles de poivron dans un plat creux. Disposez dessus les anchois. Pelez les gousses d'ail et écrasez-les au-dessus d'un bol. Versez l'huile d'olive et les câpres. Mélangez bien et versez sur les poivrons. Laissez mariner au frais pendant 3 heures.

POTAGE PÉKINOIS

Préparation : 15 min – Cuisson : 20 min

2 blancs de poulet • 4 champignons noirs en sachet • 60 g de pousses de bambou en boîte • 2 œufs • 50 cl de bouillon de volaille • 2 cuil. à soupe de sauce de soja • 2 cuil. à soupe de vinaigre blanc • 2 cuil. à café de Maïzena • 8 brins de ciboulette • poivre

Réalisation

Plongez les champignons dans un bol d'eau chaude pendant 15 minutes. Égouttez les pousses de bambou, émincez-les en bâtonnets. Découpez les blancs de poulet en petits dés. Battez les œufs dans un bol. Versez la Maïzena dans le bol, délayez-la avec quatre cuillerées à soupe d'eau froide. Essorez les champignons, coupez-les en petits morceaux. Versez le bouillon dans une casserole ou un wok et portez-le à ébullition. Ajoutez les dés de poulet, les morceaux de champignon, les pousses de bambou, couvrez et laissez mijoter pendant 5 minutes. Versez la sauce de soja et le vinaigre, poivrez. Incorporez la Maïzena diluée et les œufs battus en mélangeant. Faites cuire encore 3 minutes. Versez le potage dans deux bols et parsemez de ciboulette ciselée.

Coup de cœur : *remplacez le poulet par 100 g de tofu. Vous pouvez ajouter un demi-piment vert épépiné et haché.*

RAVIOLES À LA CRÈME ET AUX HERBES

Préparation : 5 min – Cuisson : 5 min

½ paquet de ravioles • 10 cl de crème liquide • ½ bouquet de ciboulette • sel, poivre

Réalisation

Faites chauffer la crème dans une casserole, salez, poivrez. Réservez. Ciselez la ciboulette. Faites bouillir de l'eau salée dans une grande casserole, plongez-y les ravioles et dès la reprise de l'ébullition, égouttez-les. Répartissez-les dans deux coupelles, arrosez de crème et parsemez de ciboulette. Servez aussitôt.

SALADE DE CREVETTES À LA THAÏE

Préparation : 15 min

250 g de grosses crevettes roses cuites • 1 piment rouge • 1 oignon • ¼ de concombre • ½ laitue • ½ gousse d'ail • ½ citron vert non traité • 1 cuil. à soupe de nuoc-mâm • 1 cuil. à soupe de sauce de soja • ½ cuil. à café de sucre • ½ bouquet de coriandre

Réalisation

Lavez et essorez la laitue, coupez cinq ou six de feuilles en lanières. Prélevez le zeste du citron vert, râpez-le, pressez le fruit. Ouvrez le piment, égrenez-le et coupez-le en petits dés. Lavez le morceau de concombre, tranchez-le très finement. Épluchez et émincez l'ail et les oignons. Mélangez dans un bol la sauce de soja, le sucre, l'ail, le nuoc-mâm et le jus de citron. Mettez dans un saladier la laitue, l'oignon, le concombre, arrosez avec la sauce et mélangez. Répartissez la salade dans deux coupes, disposez dessus les crevettes, parsemez de zeste et de coriandre ciselée. Servez frais.

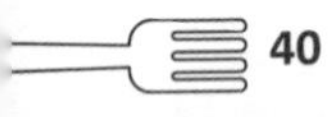

SALADE DE FOIE GRAS

Préparation : 10 min – Cuisson : 8 min

200 g de haricots verts extra-fins surgelés • 4 fonds d'artichaut en bocal • ½ petite boîte de foie gras • quelques feuilles de salade feuille de chêne • 2 petites cuil. à soupe d'huile de noix • ½ cuil. à soupe de vinaigre de vin • ½ cuil. à café de moutarde • sel, poivre

Réalisation

Faites cuire les haricots verts dans une grande casserole d'eau bouillante salée pendant 6 à 8 minutes. Vérifiez la cuisson : ils doivent être légèrement croquants. Pendant ce temps, lavez, essorez la salade, et disposez les feuilles dans un plat creux. Taillez les fonds d'artichauts en lamelles. Préparez la vinaigrette : dans un bol, mélangez la moutarde avec le sel et le vinaigre, ajoutez l'huile petit à petit en battant, poivrez. Égouttez les haricots, rafraîchissez-les sous l'eau froide, égouttez-les à nouveau. Mettez-les sur la salade. Placez dessus les lamelles de fond d'artichaut. Arrosez de vinaigrette. Coupez le foie gras en fines tranches et disposez par-dessus.

SALADE DE LANGOUSTINES GRILLÉES AU LARD

Préparation : 10 min – Cuisson : 10 min

8 queues de langoustines • 4 tranches très fines de poitrine fumée • 2 petites tomates • 100 g de roquette • 2 cuil. à soupe d'huile d'olive • ½ cuil. à soupe de vinaigre balsamique • sel, poivre

Réalisation

Ébouillantez les tomates, rafraîchissez-les, pelez-les et coupez-les en dés. Coupez chaque tranche de poitrine fumée en deux. Enroulez chaque queue de langoustine dans une demi-tranche de lard, maintenez avec une pique en bois. Faites griller les langoustines à sec dans une poêle à revêtement antiadhésif pendant 10 minutes en les retournant sans cesse. Rincez et essorez la roquette, mettez-la dans un saladier avec les dés de tomate. Préparez la sauce en mélangeant le vinaigre balsamique avec l'huile d'olive, un peu de sel et de poivre. Versez sur la roquette. Mélangez. Répartissez la salade dans les assiettes et disposez dessus les langoustines encore chaudes. Servez sans attendre.

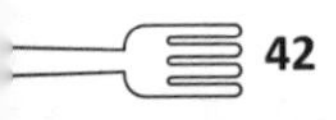

SALADE DE MANGUE AU PIMENT

Préparation : 10 min

1 mangue • ½ piment oiseau • 25 g de roquette • ½ gousse d'ail • 2 cuil. à soupe de jus de citron vert • 1½ cuil. à soupe de nuoc-mâm • 25 g de pistaches nature décortiquées concassées

Réalisation

Épluchez la demi-gousse d'ail, écrasez-la au presse-ail au-dessus d'un bol. Ajoutez le jus de citron vert, le nuoc-mâm et le piment oiseau émietté. Mélangez bien. Lavez et essorez la roquette. Pelez la mangue, coupez la chair en fins bâtonnets. Mettez-les dans un saladier, ajoutez la roquette, la sauce, mélangez délicatement et parsemez de pistaches concassées au moment de servir.

Coup de cœur : *si vous ne trouvez pas de mangue fraîche, vous pouvez utiliser de la mangue surgelée. Il faudra alors prévoir dans le temps de préparation 2 heures de décongélation au minimum, à température ambiante.*

SALADE DE MESCLUN, POIRES, NOIX, PARMESAN

Préparation : 15 min

80 g de mesclun • 1 poire • 1 morceau de 50 g de parmesan • 6 cerneaux de noix • 1 cuil. à café de vinaigre balsamique • 2 cuil. à soupe d'huile d'olive • 1 cuil. à soupe de vinaigre de vin vieux • ½ citron • sel, poivre

Réalisation

Lavez et essorez le mesclun, répartissez-le sur deux assiettes. Mélangez dans un bol les deux vinaigres, l'huile et un peu de sel et de poivre. Pressez le demi-citron. Pelez la poire, coupez-la en lamelles et citronnez-les. Concassez grossièrement les noix, répartissez-les sur la salade, ajoutez les lamelles de poire, arrosez de sauce. Prélevez des copeaux dans le morceau de parmesan avec un couteau économe, déposez-les sur les assiettes.

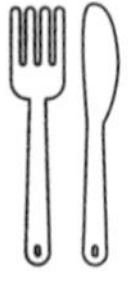

SALADE DE ROQUETTE AU PARMESAN ET AUX TOMATES CONFITES

Préparation : 10 min

1 morceau de 75 g de parmesan • 1 cuil. à soupe de tomates confites à l'huile • 100 g de roquette • 2 cuil. à soupe d'huile d'olive • 2 pincées de poivre concassé • sel

Réalisation

Lavez et essorez la roquette, répartissez-la dans deux coupelles. Salez, poivrez et arrosez d'huile d'olive. Mélangez. Coupez la tomate confite en petits dés, parsemez-en la salade.

Découpez le parmesan en lamelles avec un couteau économe, ajoutez-le. Servez frais.

Coup de cœur : *assaisonnez la salade juste au moment de servir pour qu'elle garde toute sa fraîcheur. Si vous êtes pressé, vous trouverez dans le commerce des lamelles de parmesan prêtes à l'emploi.*

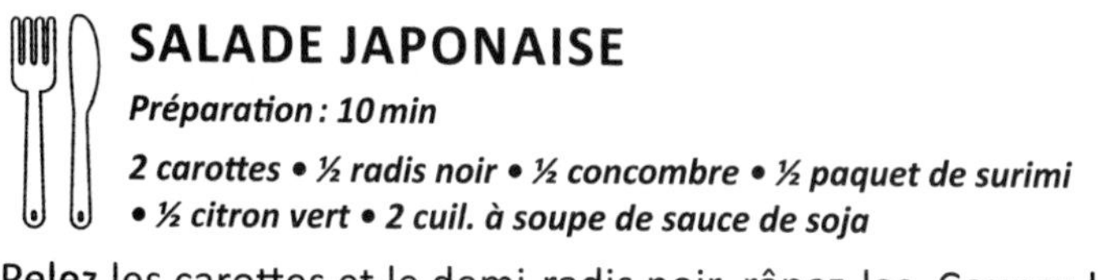

SALADE JAPONAISE

Préparation : 10 min

2 carottes • ½ radis noir • ½ concombre • ½ paquet de surimi • ½ citron vert • 2 cuil. à soupe de sauce de soja

Pelez les carottes et le demi-radis noir, râpez-les. Coupez le demi-concombre en tranches très fines et le surimi en dés. Disposez le tout dans un saladier. Dans un bol, mélangez le jus du citron vert avec la sauce de soja, versez sur la salade au moment de servir.

Coup de cœur : *si vous disposez de très peu de temps, utilisez des carottes râpées nature en sachet et du citron vert en petite bouteille.*

SALADE SUCRÉE SALÉE AU CURRY

Préparation : 10 min

1 poivron rouge • ½ boîte de maïs au naturel • 1 avocat • 1 pomme Granny • ½ pamplemousse • 25 g de raisins secs • ½ citron • 1 jaune d'œuf • ½ cuil. à café de moutarde • 3 cuil. à soupe d'huile de colza • ½ cuil. à café de curry • sel, poivre

Réalisation

Épépinez le poivron, coupez la chair en petits dés. Coupez le demi-pamplemousse en deux, prélevez la pulpe avec une petite cuillère. Égouttez le maïs. Pressez le demi-citron, versez le jus dans un bol. Prélevez la chair de l'avocat avec une cuillère parisienne, citronnez les billes obtenues. Épluchez la pomme, coupez la chair en dés, citronnez-les. Mettez tous ces ingrédients dans un saladier. Préparez une mayonnaise en mélangeant la moutarde avec du sel, du poivre et le jaune d'œuf. Versez l'huile goutte à goutte et battez jusqu'à épaississement. Ajoutez le reste de jus de citron et le curry. Versez sur la salade, mélangez. Servez frais.

SAUMON FUMÉ, CHANTILLY AU RAIFORT

Préparation : 10 min – Repos : 2 h

2 tranches de saumon fumé • 2 petits oignons blancs • 10 cl de crème liquide • ½ cuil. à soupe de raifort • 2 branches d'aneth • 2 cuil. à café d'œufs de saumon

Réalisation

Placez la crème au réfrigérateur plusieurs heures à l'avance. Pelez les oignons, émincez-les. Ciselez l'aneth. Fouettez la

crème liquide au batteur électrique en incorporant le raifort et l'aneth pour obtenir une crème Chantilly mousseuse. Disposez sur chaque assiette une tranche de saumon, quelques lamelles d'oignon et une grosse quenelle de chantilly. Décorez d'une cuillerée à café d'œufs de saumon.

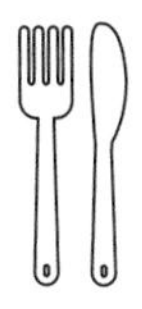

SAUMON FUMÉ, TARTARE POMME OIGNONS

Préparation : 10 min

2 tranches de saumon fumé en tranches • ½ pomme verte • 2 petits oignons blancs • 15 cl de crème liquide • ½ cuil. à soupe de raifort • quelques brins de ciboulette • sel, poivre

Réalisation

Fouettez la crème liquide avec le raifort, un peu de sel et de poivre. Réservez. Ciselez finement la ciboulette. Pelez les oignons et la pomme. Coupez l'un et l'autre en petits dés, mélangez-les à la crème. Étalez sur chaque assiette une tranche de saumon fumé, et déposez dessus un peu de tartare pomme oignons. Servez très frais.

SAUMON MARINÉ AU POIVRE VERT

Préparation : 10 min – Congélation : 30 min – Marinade : 12 h

300 g de saumon cru • 2 cuil. à soupe d'huile d'olive • 1 citron • 1 échalote • 1 cuil. à café de sucre cristallisé • ½ bouquet de ciboulette • 1 cuil. à soupe de poivre vert concassé • sel

Réalisation

Entourez le saumon d'un film plastique et mettez-le au congélateur pendant 30 minutes afin de pouvoir le trancher plus facilement. Épluchez et hachez l'échalote. Ciselez la ciboulette. Pressez le citron. Sortez le saumon du congélateur et coupez-le en tranches très fines. Déposez les filets de saumon dans un plat creux, parsemez-les d'échalote hachée, de ciboulette et de poivre vert concassé. Salez légèrement, répartissez le sucre sur les filets. Versez le jus du citron et enfin arrosez d'huile d'olive. Faites mariner au frais pendant au moins 12 heures. Servez bien frais.

Coup de cœur : *vous pouvez remplacer la ciboulette par de l'aneth et le poivre vert par des baies roses. Servez cette entrée avec du pain de seigle.*

SOUFFLÉS GLACÉS À LA TOMATE ET AU CRABE

Préparation : 15 min – Cuisson : 2 min – Réfrigération : 12 h

2 tomates • 100 g de chair de crabe • 5 cl de crème liquide • 2 grandes feuilles de gélatine • 2 gouttes de Tabasco • 1 branche de persil • 1 cuil. à soupe de paprika • sel, poivre

Réalisation

La veille, mettez la crème au réfrigérateur plusieurs heures à l'avance. Pelez les tomates après les avoir ébouillantées. Épépinez-les. Égouttez la chair de crabe en réservant son jus Mixez la pulpe de tomate avec la chair de crabe. Fouettez la crème froide en chantilly. Mettez les feuilles de gélatine dans un saladier, recouvrez-les d'eau froide et laissez-les ramollir. Faites chauffer l'eau de crabe, ajoutez un peu de Tabasco et faites fondre la gélatine. Dès qu'elle est fondue, ajoutez-la à la purée de tomate et crabe. Salez et poivrez. Hachez le persil et ajoutez-le. Incorporez la crème Chantilly. Entourez deux ramequins ou deux petits verres d'une bande de papier sulfurisé de 5 cm de hauteur. Fixez-la avec un papier adhésif. Remplissez les ramequins avec la préparation et mettez au réfrigérateur pour 12 heures.

Le jour même, enlevez le papier sulfurisé, saupoudrez les soufflés d'un peu de paprika et servez avec une crème au citron.

SOUPE FRAÎCHE DE CAROTTES AUX ÉPICES

Préparation : 10 min – Cuisson : 20 min – Réfrigération : 1 h

8 carottes • 2 oignons • 4 pincées de gingembre moulu • 1 pincée de cumin en poudre • 2 cuil. à soupe d'huile d'olive • 6 branches de coriandre • sel, poivre

Réalisation

Épluchez et hachez les oignons et les carottes. Versez l'huile dans un faitout, faites-y revenir les oignons et les carottes, salez, poivrez, ajoutez le gingembre et le cumin, puis arrosez avec 50 cl d'eau. Laissez mijoter 15 minutes, puis passez au mixeur. Laissez refroidir à température ambiante, puis mettez au réfrigérateur pendant 1 heure. Vérifiez l'assaisonnement et parsemez de coriandre ciselée. Dégustez bien frais.

TARTARE D'ARTICHAUTS AU CRABE

Préparation : 15 min

4 fonds d'artichaut en conserve • 125 g de chair de crabe • 1 jaune d'œuf • ½ cuil. à café de moutarde • 4 cuil. à soupe d'huile • 1 cl de crème liquide • ½ citron • 10 brins de ciboulette • sel, poivre

Réalisation

Pressez le demi-citron. Préparez une mayonnaise dans un saladier en fouettant le jaune d'œuf avec la moutarde, un peu de sel et de poivre et en versant l'huile goutte à goutte. Ajoutez la crème liquide et le jus de citron ainsi que la moitié de la ciboulette ciselée, mélangez bien. Rincez les fonds d'artichaut, coupez-les en petits dés et mettez-les dans la mayonnaise.

Égouttez la chair de crabe, coupez les morceaux en dés et ajoutez-les. Répartissez cette préparation dans deux coupes, décorez avec le reste de ciboulette et servez très frais.

TERRINES DE CRABE AU CURRY

Préparation : 15 min – Cuisson : 30 min

100 g de chair de crabe • 10 cl de lait de coco • 2 œufs • 1 cuil. à café de curry rouge • 1 cuil. à soupe d'huile • 1 gousse d'ail • 1 citron non traité • 20 g de beurre • 4 branches de coriandre • sel

Réalisation

Préchauffez le four à 180 °C (th. 6). Beurrez deux moules individuels. Pelez et hachez l'ail. Râpez le zeste du citron. Délayez le curry rouge dans l'huile. Versez le lait de coco dans un saladier, ajoutez le curry, l'ail, le zeste de citron, les œufs battus et un peu de sel. Mélangez bien et mixez avec la chair de crabe. Versez dans les moules et enfournez. Laissez cuire au bain-marie pendant 30 minutes. Décorez le dessus de feuilles de coriandre. Servez chaud, tiède ou froid.

TERRINE DE LOTTE

Préparation : 10 min – Cuisson : 1 h

250 g de filets de lotte surgelés • 2 œufs • 1 cube de court-bouillon • 1 cuil. à soupe de concentré de tomates • 100 g de fromage blanc • 2 cuil. à soupe de ciboulette ciselée • ½ cuil. à soupe d'huile • ½ citron • sel, poivre

Réalisation

Mettez le cube de court-bouillon dans une marmite, versez dessus 25 cl d'eau très chaude et faites bouillir. Plongez la lotte dans le liquide, portez à ébullition et laissez cuire 15 minutes. Égouttez-la et coupez-la en cubes. Battez les œufs en omelette dans un saladier, ajoutez le concentré de tomates, salez, poivrez et incorporez les morceaux de lotte. Huilez deux petits moules à cake individuels et versez-y la préparation. Faites cuire au bain-marie pendant 45 minutes. Laissez refroidir, puis démoulez sur deux assiettes de service.

TERRINE DE PETITS LÉGUMES AU BASILIC

Préparation : 10 min – Cuisson : 1 h – Réfrigération : 1 h

200 g de macédoine de légumes surgelée • 2 œufs • 12 cl de crème liquide • 1 cuil. à soupe de farine • 2 cuil. à soupe de basilic ciselé • 10 g de beurre • sel, poivre

Réalisation

Faites cuire la macédoine encore gelée pendant 8 minutes dans de l'eau bouillante salée. Égouttez-la et laissez-la refroidir. Préchauffez le four à 210 °C (th. 7). Beurrez deux petits moules à cake individuels. Battez les œufs avec la farine, la crème, le

basilic, du sel et du poivre. Ajoutez la macédoine. Versez dans les moules et faites cuire au bain-marie pendant 45 minutes. Laissez refroidir 1 heure avant de démouler. Placez au réfrigérateur jusqu'au moment de servir.

Coup de cœur : *accompagnez cette terrine de coulis de tomates au basilic ou encore de crème fraîche citronnée.*

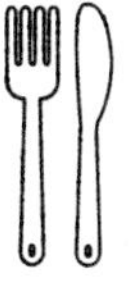

VELOUTÉ DE CAROTTES AU FENOUIL GRILLÉ

Préparation : 5 min – Cuisson : 3 min

50 cl de jus de carotte • 2 cuil. à café de graines de fenouil • sel, poivre du moulin

Réalisation

Faites griller les graines de fenouil à sec dans une poêle à revêtement antiadhésif. Versez le jus de carotte dans deux verres, salez, poivrez, décorez de fenouil grillé.

VERRINES DE THON À L'AVOCAT

Préparation : 10 min

200 g de thon au naturel en boîte • 1 avocat • 1 citron • 1 pot de mascarpone • 2 branches d'aneth • ¼ de baguette de pain • Tabasco • sel, poivre

Réalisation

Pressez le citron. Partagez le mascarpone en deux parties. Effeuillez l'aneth, égouttez le thon. Mixez le thon avec l'aneth, la moitié du jus de citron et la moitié du mascarpone, du sel et du poivre. Déposez cette crème dans deux verrines. Prélevez la chair de l'avocat, mixez-la avec le reste de mascarpone et de jus de citron, du sel, du poivre et deux gouttes de Tabasco. Déposez ce mélange dans les verrines. Coupez le quart de baguette en deux, faites-les griller et détaillez-les en mouillettes, plantez-les dans les verrines.

Coup de cœur : *vous pouvez également préparer cette entrée avec du crabe.*

Snack à deux

ASSIETTES ITALIENNES

Préparation : 10 min – Cuisson : 5 min

100 g de mozzarella • 4 tomates cerise • 50 g de tapenade noire • 1 morceau de 30 g de parmesan • 2 tranches de jambon de Parme • 40 g de roquette • 8 feuilles de basilic • 6 cuil. à soupe d'huile d'olive • fleur de sel, poivre du moulin

Réalisation

Lavez et essorez la roquette, disposez-la sur deux assiettes. Pliez les tranches de jambon, mettez-les sur les assiettes à côté de la roquette. Coupez la mozzarella en lamelles, disposez-les sur les assiettes. Placez à côté un peu de tapenade. Faites chauffer quatre cuillerées à soupe d'huile dans une poêle profonde, faites frire les feuilles de basilic pendant 5 secondes et les tomates cerise pendant 15 secondes. Égouttez-les sur du papier absorbant, puis disposez-les sur les assiettes. Arrosez la roquette d'un filet d'huile, parsemez de fleur de sel et de poivre du moulin. Prélevez des copeaux dans le parmesan avec un couteau économe, disposez-les sur les assiettes.

Coup de cœur : *vous pouvez servir ces assiettes en entrée ou en plat, selon votre appétit.*

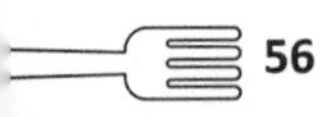

ASSIETTES SCANDINAVES

Préparation : 20 min

4 filets de truite fumée • 2 petites betteraves cuites • 2 branches de céleri • 2 pommes vertes • 4 cuil. à soupe de crème • 8 cuil. à soupe de jus de citron • 2 cuil. à café de baies roses • sel, poivre

Réalisation

Coupez les betteraves en petits dés, coupez le céleri en petits tronçons et mettez-les côte à côte sur deux grandes assiettes. Disposez à côté les filets de truite fumée. Épluchez les pommes, coupez la chair en dés, citronnez-les, mettez-les à côté des légumes. Mélangez la crème avec le reste de jus de citron, du sel, du poivre et les baies roses. Mettez-la au centre de l'assiette. Dégustez frais.

BRIOCHES FARCIES AUX CHAMPIGNONS CRÉMÉS

Préparation : 10 min – Cuisson : 20 min

2 brioches • 100 g de mélange de champignons • 1 échalote • 7 cl de crème • 10 g de beurre • sel, poivre

Réalisation

Préchauffez le four à 180 °C (th. 6). Réchauffez-y les brioches pendant 5 minutes. Épluchez et hachez l'échalote. Lavez et séchez les champignons, émincez-les. Faites fondre le beurre dans une casserole, faites revenir l'échalote et les champignons pendant 15 minutes, salez, poivrez, puis ajoutez la crème. Poursuivez la cuisson jusqu'à ce que la crème soit fondue et chaude. Ôtez le chapeau des brioches, creusez-les délicatement pour ne pas les percer et remplissez la cavité de champignons à la crème. Replacez le chapeau et servez immédiatement.

BRIOUATS À L'ŒUF ET AU THON

Préparation : 10 min – Cuisson : 5 min

2 feuilles de brick • 2 œufs • 50 g de thon au naturel • 3 branches de coriandre • 1 cuil. à soupe d'huile d'olive • sel, poivre

Réalisation

Ciselez les feuilles de coriandre. Faites chauffer l'huile dans une grande poêle. Étalez une feuille de brick, cassez un œuf au centre, parsemez d'un peu de thon et de feuilles de coriandre, salez, poivrez et repliez les bords de la feuille pour former une enveloppe. Procédez de même avec l'autre feuille. Faites frire les briouats dans la poêle sur une face, retournez au bout de 3 minutes et disposez sur un papier absorbant. Servez bien chaud.

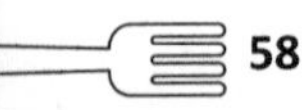

BRUSCHETTA AU POIVRON ROUGE

Préparation : 15 min – Cuisson : 5 min

4 tranches de pain de campagne • 2 tranches de jambon d'Aoste • 80 g de mozzarella • 1 poivron rouge • 2 gousses d'ail • 4 cuil. à soupe d'huile d'olive • sel, poivre

Réalisation

Pelez les gousses d'ail et frottez-en les tranches de pain. Badigeonnez-les d'huile. Coupez les tranches de jambon en lamelles. Coupez la mozzarella en tranches, salez et poivrez. Pelez le poivron et coupez-le en lanières. Posez sur le pain le jambon, le poivron, la mozzarella, arrosez d'un filet d'huile. Mettez les tranches de pain dans un plat à gratin et passez sous le gril du four pendant environ 5 minutes, pour que le fromage fonde et dore. Dégustez sans attendre.

CAKES AUX DEUX OLIVES ET HERBES DE PROVENCE

Préparation : 10 min – Cuisson : 25 min

100 g de farine • ½ sachet de levure • 3 œufs • ½ yaourt velouté nature • 2,5 cl d'huile d'olive 1 cuil. à soupe pour les moules • 40 g d'olives vertes dénoyautées • 40 g d'olives noires dénoyautées • 1 cuil. à soupe d'herbes de Provence • poivre

Réalisation

Préchauffez le four à 180 °C (th. 6). Huilez des moules à cake individuels. Détaillez les olives en rondelles. Mélangez la farine et la levure. Battez les œufs avec le yaourt, incorporez la farine et la levure, l'huile d'olive et un peu de poivre. Ajoutez les olives et les herbes. Versez la préparation dans les moules et faites cuire pendant 25 minutes. Vérifiez la cuisson avec la lame d'un couteau. Laissez reposer pendant 10 minutes avant de démouler. Laissez refroidir sur une grille.

CAKES CHORIZO OLIVES

Préparation : 10 min – Cuisson : 25 min

100 g de farine • ½ sachet de levure • 3 œufs • 5 cl de lait • 5 cl d'huile d'olive + 1 cuil. à soupe pour le moule • 100 g d'olives vertes dénoyautées • 100 g de chorizo • 750 g de gruyère râpé • sel, poivre

Réalisation

Coupez le chorizo en petits dés et les olives en rondelles. Préchauffez le four à 180 °C (th. 6). Huilez des petits moules à cake individuels. Mélangez la farine et la levure. Fouettez l'œuf avec le lait et l'huile, incorporez la farine et la levure, salez peu, poivrez, et ajoutez les dés de chorizo et les rondelles d'olive ainsi que le gruyère râpé. Versez dans les moules et enfournez. Faites cuire pendant 20 à 25 minutes. Vérifiez la cuisson avec la lame d'un couteau, laissez reposer les cakes avant de démouler sur une grille. Laissez refroidir.

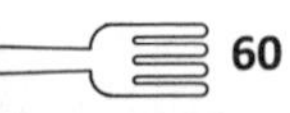

CAKES TOMATES CONFITES ET BASILIC

Préparation : 10 min – Cuisson : 25 min

100 g de farine • ½ sachet de levure • 2 œufs • 5 cl de vin blanc sec • 2,5 cl d'huile d'olive + 1 cuil. à soupe pour les moules • 75 g de tomates confites • ½ bouquet de basilic • sel, poivre

Réalisation

Préchauffez le four à 180 °C (th. 6). Huilez des petits moules à cake. Coupez les tomates en dés. Lavez, séchez, effeuillez et ciselez le basilic. Mélangez la farine et la levure. Battez les œufs avec le vin blanc, incorporez la farine et la levure, l'huile d'olive et un peu de sel et de poivre. Ajoutez les dés de tomate et le basilic. Versez dans les moules et enfournez. Faites cuire pendant 20 à 25 minutes. Vérifiez la cuisson avec la lame d'un couteau, laissez reposer les cakes avant de démouler sur une grille. Laissez refroidir.

CHIFFONNADE DE MAGRETS FUMÉS AUX POIRES

Préparation : 10 min

1 sachet de magret fumé (90 g) • 2 poires fermes • 2 cuil. à soupe d'huile de noix • ½ cuil. à soupe de vinaigre balsamique • ½ cuil. à café de miel liquide • ½ cuil. à café de quatre-épices • sel, poivre

Réalisation

Répartissez les tranches de magret sur deux assiettes. Mélangez dans un bol le vinaigre balsamique, le miel, l'huile, le quatre-épices, un peu de sel et de poivre. Épluchez les poires, coupez-les en quartiers et détaillez chaque quartier en fines lamelles. Disposez-les harmonieusement à côté du magret. Arrosez de sauce et servez frais.

CLAFOUTIS AUX CHAMPIGNONS

Préparation : 10 min – Cuisson : 40 min

50 g de farine • 2 œufs • ½ boîte de lait concentré non sucré • 200 g de champignons variés • 50 g de gruyère râpé • ½ cuil. à café de thym effeuillé • 10 g de beurre • sel, poivre

Réalisation

Coupez le pied terreux des champignons, lavez-les, essuyez-les et coupez-les en deux ou quatre selon leur grosseur. Faites-les cuire dans une poêle à revêtement antiadhésif pendant 10 minutes à feu doux pour leur faire rendre leur eau, salez, poivrez. Battez les œufs en omelette avec le lait, incorporez la farine et le thym, salez, poivrez. Préchauffez le four à 180 °C (th. 6). Beurrez un petit plat à four ou deux ramequins, disposez les champignons, versez la préparation et saupoudrez de gruyère. Faites cuire pendant 30 minutes. Servez chaud ou tiède.

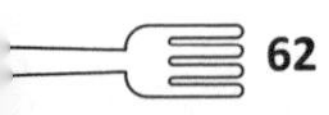

CONSOMMÉ AU POULET ET AUX MORILLES

Préparation : 10 min – Réhydratation : 30 min – Cuisson : 20 min

50 g de morilles séchées • 100 g de blanc de poulet • 50 cl de bouillon de volaille • 10 g de beurre • ½ botte de cerfeuil • sel, poivre

Réalisation

Mettez les morilles dans un petit saladier, recouvrez-les d'eau chaude et laissez-les se réhydrater pendant 30 minutes. Égouttez-les, séchez-les dans un papier absorbant. Détaillez le poulet en petites lanières. Faites revenir les morilles dans le beurre dans une casserole pendant 5 minutes en les retournant souvent, mouillez avec le bouillon de légumes, ajoutez les lanières de poulet et faites chauffer jusqu'à ébullition. Vérifiez l'assaisonnement, salez et poivrez si nécessaire. Répartissez le potage dans deux petites cocottes préchauffées. Ciselez le cerfeuil, parsemez-en les cocottes. Servez chaud.

CROUSTILLANTS DE CREVETTES À LA CORIANDRE

Préparation : 10 min – Cuisson : 10 min

8 crevettes cuites décortiquées • 2 feuilles de brick • ¼ de cuil. à café de paprika • ¼ de cuil. à café de cumin • ½ citron • ½ botte de coriandre • sel, poivre

Réalisation

Préchauffez le four à 210 °C (th. 7). Recouvrez la plaque du four de papier sulfurisé. Pressez le citron, hachez la coriandre.

Mélangez dans un bol le jus de citron, la coriandre, le paprika, le cumin, du sel et du poivre. Étalez les feuilles de brick sur un torchon humide, coupez-les en quatre. Dans chaque quartier de feuille, déposez une crevette et un peu de sauce au citron, refermez le brick en papillote, déposez-les au fur et à mesure sur le plat. Enfournez et laissez cuire pendant 10 minutes. Servez chaud.

Coup de cœur : *accompagnez de sauce piquante et servez sur un lit de salade verte.*

CROÛTES AUX CHAMPIGNONS

Préparation : 10 min – Cuisson : 20 min

125 g de champignons de Paris • 1 tranche de jambon • 4 tranches de pain de mie • 40 g de beurre • 1 cuil. à soupe de farine • 12 cl de lait • 10 cl de crème • 40 g de gruyère râpé • sel, poivre

Réalisation

Lavez et essuyez les champignons. Émincez-les et faites-les dorer avec 15 g de beurre dans une poêle. Réservez. Détaillez le jambon en lanières. Faites fondre le reste de beurre dans une casserole, saupoudrez de farine et laissez cuire 3 minutes en mélangeant. Délayez peu à peu avec le lait préalablement chauffé, salez, poivrez et prolongez la cuisson jusqu'à épaississement. Incorporez la crème, le jambon et les champignons. Faites griller les tranches de pain au grille-pain. Mettez-les dans un plat à gratin. Recouvrez chaque tranche de béchamel au jambon et aux champignons, saupoudrez de fromage râpé et faites gratiner 5 minutes environ.

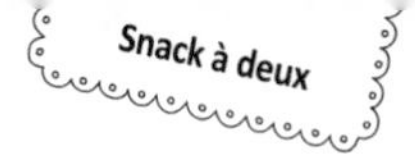

FEUILLETÉ AUX GIROLLES

Préparation : 10 min – Cuisson : 30 min

1 rouleau de pâte feuilletée (rayon frais ou surgelés) • 250 g de girolles • 12 cl de crème fraîche • 30 g de beurre • ½ bouquet d'estragon • 1 jaune d'œuf • 1 cuil. à soupe de lait • sel, poivre

Réalisation

Préchauffez le four à 210 °C (th. 7). Découpez la pâte feuilletée en deux. Beurrez légèrement une tourtière, disposez dessus un demi-rouleau de pâte. Lavez et ciselez l'estragon. Lavez et séchez les girolles. Faites fondre le reste de beurre dans une cocotte, faites revenir les girolles à feu doux, salez, poivrez et poursuivez la cuisson jusqu'à ce que leur eau soit évaporée. Ajoutez la crème et l'estragon ciselé, donnez un bouillon et retirez du feu. Versez les girolles sur la pâte et recouvrez la tarte avec la seconde moitié de pâte. Soudez les bords en pinçant la pâte avec les doigts. Faites un trou au centre du couvercle de pâte et maintenez-le ouvert en glissant un papier enroulé en cheminée. Dorez la pâte au pinceau avec le jaune d'œuf délayé dans le lait et enfournez. Laissez cuire 25 à 30 minutes. Servez chaud ou tiède.

MILLE-FEUILLES DE CHÉRIES AU SAUMON

Préparation : 15 min – Cuisson : 20 min

2 tranches de saumon fumé • 400 g de pommes de terre type « chéries » • 12 cl de crème épaisse • ½ citron • 4 branches d'aneth • 30 g d'œufs de truite • sel, poivre

Réalisation

Faites cuire les pommes de terre à l'eau bouillante pendant 20 minutes, laissez-les refroidir un peu, puis pelez-les et coupez-les en tranches régulières. Découpez les tranches de saumon de la taille des rondelles de pomme de terre. Déposez sur deux assiettes en les empilant et en les intercalant saumon et pommes de terre. Pressez le demi-citron, mélangez-le à la crème, salez, poivrez. Versez la crème autour des mille-feuilles. Parsemez d'œufs de truite et de brins d'aneth. Servez à température ambiante.

MOUSSE DE THON

Préparation : 10 min – Cuisson : 10 min

300 g de thon au naturel • 2 œufs • 2 petits-suisses • 1 cuil. à soupe de jus de citron • 2 pincées de curry • 1 cuil. à café de câpres • 2 cuil. à soupe d'huile d'olive • sel, poivre

Réalisation

Faites durcir les œufs pendant 10 minutes dans de l'eau bouillante. Rafraîchissez-les, écalez-les et coupez-les en quatre. Mixez le thon avec l'œuf dur, le petit-suisse, le jus de citron,

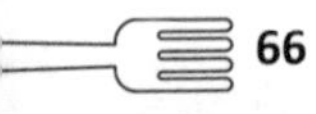

les câpres, le curry, l'huile et un peu de sel et de poivre. Versez dans une petite terrine et mettez au frais.

Coup de cœur : *dégustez avec une ou deux tranches de pain de campagne grillées.*

ŒUFS À LA LORRAINE

Préparation : 10 min – Cuisson : 8 min

4 œufs • 4 tranches fines de lard fumé • 80 g de gruyère • 2 cuil. à café de crème • poivre

Réalisation

Coupez le gruyère en lamelles. Faites cuire les tranches de lard sans matière grasse dans une poêle à revêtement antiadhésif jusqu'à ce qu'elles soient croustillantes. Cassez les œufs dans la poêle, faites cuire à feu doux pendant 1 minute, puis déposez les lamelles de gruyère sur les blancs d'œufs et la crème par-dessus. Prolongez la cuisson pendant 2 minutes pour que le fromage fonde. Poivrez légèrement.

ŒUFS BROUILLÉS AUX ŒUFS DE SAUMON

Préparation : 5 min – Cuisson : 12 min

5 œufs • 2 cuil. à café d'œufs de saumon • ½ bouquet de ciboulette • 2 cuil. à soupe de lait • 20 g de beurre • sel, poivre

Réalisation

Ciselez la ciboulette. Battez les œufs en omelette dans un saladier. Ajoutez la moitié de la ciboulette et le lait. Salez et poivrez. Faites chauffer le beurre dans une casserole, versez-y les œufs et placez-la au bain-marie dans une casserole plus grande remplie d'eau bouillante. Laissez cuire sans cesser de mélanger au fouet en prenant soin que les œufs n'attachent pas. Dès que la préparation a pris consistance, retirez la casserole du feu. Répartissez immédiatement les œufs dans deux assiettes ou deux coupes et décorez-les d'œufs de saumon et du reste de la ciboulette.

Coup de cœur : *accompagnez ces œufs de « mouillettes » de pain de mie toasté.*

ŒUFS COCOTTE, CREVETTES ET CHAMPIGNONS À LA CRÈME

Préparation : 10 min – Cuisson : 15 min

4 œufs extra frais • 6 crevettes roses cuites décortiquées • 25 g de champignons blancs • 1 échalote • 12 cl de crème fraîche • 2 cl de cognac • 1 branche de persil • 20 g de beurre • sel, poivre

Réalisation

Lavez et essuyez les champignons. Émincez-les finement. Épluchez l'échalote, hachez-la. Rincez et épongez les crevettes. Faites fondre la moitié du beurre dans une casserole, faites revenir les champignons et les échalotes dans le beurre pendant 5 minutes, salez, poivrez et arrosez de cognac. Flambez. Ajoutez les crevettes et la crème et donnez un bouillon. Préchauffez le four à 180 °C (th. 6). Préparez un bain-marie. Beurrez légèrement deux petites cocottes, cassez deux œufs dans chacune d'elles. Enfournez et laissez cuire pendant

10 minutes. Versez la sauce sur les œufs, parsemez de persil ciselé et servez immédiatement.

ŒUFS COCOTTE, JAMBON ET OSEILLE

Préparation : 15 min – Cuisson : 15 min

4 œufs extra frais • 75 g d'allumettes de jambon • 100 g d'oseille • 7 cl de crème fraîche • 5 g de beurre • sel, poivre

Réalisation

Épluchez l'oseille, faites-la revenir pendant 5 minutes dans une casserole avec une noisette de beurre, salez, poivrez puis ajoutez la crème. Préchauffez le four à 180 °C (th. 6). Préparez un bain-marie pouvant contenir deux petites cocottes. Déposez un peu de crème à l'oseille au fond de chaque cocotte, répartissez les allumettes de jambon, cassez deux œufs par cocotte, versez un peu de crème à nouveau et enfournez. Laissez cuire pendant 10 minutes.

ŒUFS COQUE AUX ASPERGES

Préparation : 5 min – Cuisson : 8 min

4 œufs extra frais • 12 à 20 asperges vertes

Réalisation

Coupez le bout fibreux des asperges. Faites-les cuire à l'eau bouillante salée pendant 5 minutes, puis égouttez-les et déposez-les sur un papier absorbant le temps de faire cuire les œufs afin qu'elles perdent le maximum d'humidité. Faites cuire les œufs à la coque. Dégustez les œufs en plongeant les asperges dans le jaune coulant.

Coup de cœur : *faites griller deux ou trois tranches de baguette et beurrez-les encore chaudes pour accompagner ces œufs.*

ŒUFS FLORENTINE

Préparation : 10 min – Cuisson : 15 min

4 œufs • 250 g d'épinards hachés • 40 g de gruyère râpé • 25 g de beurre • ½ cuil. à soupe de farine • 12 cl de lait • sel, poivre

Réalisation

Faites durcir les œufs pendant 10 minutes à l'eau bouillante, rafraîchissez-les, écalez-les. Réservez. Faites cuire les épinards dans une noisette de beurre et un peu de sel et de poivre pendant 10 minutes. Réservez. Préparez la béchamel : faites fondre le beurre dans une casserole, saupoudrez de farine, mélangez bien, puis délayez avec le lait en le versant très lentement. Retirez du feu dès que le mélange épaissit. Salez, poivrez. Étalez les épinards dans un plat à four. Préchauffez le four à 240 °C (th. 8). Disposez dessus les œufs durs coupés dans le sens de la longueur et nappez de béchamel. Saupoudrez de gruyère râpé et faites gratiner au four.

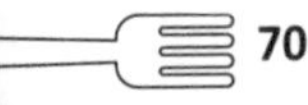

ŒUFS MOLLETS, SALADE D'ÉPINARDS FRAIS

Préparation : 10 min – Cuisson : 7 min

2 œufs extra frais • 80 g de pousses d'épinard • 20 g de beurre • 1 cuil. à soupe de vinaigre balsamique • sel, poivre

Réalisation

Plongez les œufs dans de l'eau bouillante salée, laissez-les cuire pendant 5 minutes, retirez-les délicatement. Rafraîchissez-les, écalez-les. Lavez et essorez les épinards, répartissez-les sur deux assiettes, placez les œufs au milieu. Faites fondre le beurre dans une casserole, ajoutez le vinaigre, salez, poivrez et arrêtez la cuisson. Coupez les œufs en deux afin que le jaune s'écoule un peu sur la salade, et arrosez de beurre au vinaigre. Servez immédiatement.

OIGNONS FARCIS AU THON ET AUX OLIVES

Préparation : 15 min – Cuisson : 10 min – Réfrigération : 1 h

2 gros oignons doux • 100 g de miettes de thon à l'huile • 1 cuil. à soupe de câpres • 1 cuil. à soupe d'olives vertes dénoyautées • 1 cuil. à soupe de mayonnaise

Réalisation

Épluchez les oignons, faites-les cuire à la vapeur pendant 10 minutes puis laissez-les refroidir. Coupez-leur un chapeau, ôtez délicatement un peu de pulpe, mettez-la dans un saladier. Coupez les olives en très petits dés. Travaillez à la fourchette dans le saladier le thon, les câpres, les olives et la mayonnaise.

Farcissez-en les oignons et mettez au réfrigérateur pendant 1 heure. Servez bien frais.

PAPILLOTES DE FIGUES AU JAMBON

Préparation : 5 min – Cuisson : 6 min

2 feuilles de brick • 2 figues • 2 tranches très fines de jambon cru • 2 cuil. à soupe d'huile

Réalisation

Préchauffez le four à 210 °C (th. 7). Partagez les figues en deux. Coupez chaque tranche de jambon en deux. Coupez chaque feuille de brick en deux. Versez l'huile dans un bol. Enroulez chaque demi-figue dans une demi-tranche de jambon, déposez-la au centre d'une demi-feuille de brick et roulez-la pour former une papillote. Badigeonnez-la d'huile au pinceau. Déposez les papillotes dans un plat à four et enfournez. Laissez dorer pendant environ 6 minutes. Laissez tiédir avant de servir.

Coup de cœur : *servez avec une salade de roquette aux tomates séchées et au parmesan.*

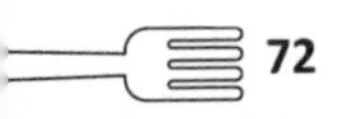

PÂTES FRAÎCHES À LA SAUGE, COPPA GRILLÉE

Préparation : 5 min – Cuisson : 10 min

175 g de pâtes fraîches • 8 tranches de coppa • 50 g de beurre • 5 feuilles de sauge • 50 g de parmesan • sel, poivre

Réalisation

Faites griller les tranches de coppa pendant 3 minutes à sec dans une poêle. Faites cuire les pâtes pendant 3 minutes dans de l'eau bouillante salée. Faites fondre le beurre dans une casserole, ajoutez les feuilles de sauge ciselées, du sel et du poivre. Égouttez les pâtes, versez-les dans un plat creux, arrosez de beurre, déposez dessus les tranches de coppa et saupoudrez de parmesan. Servez bien chaud.

POÊLÉE DE CHAMPIGNONS AU JAMBON

Préparation : 10 min – Cuisson : 10 min

400 g de champignons (champignons de Paris, pleurotes, girolles, cèpes…) • ½ tranche épaisse de jambon cru • ½ oignon • 1 gousse d'ail • 25 g de beurre • 1 cuil. à soupe d'huile • quelques brins de persil • sel, poivre

Réalisation

Lavez, essuyez et émincez les champignons. Épluchez et émincez l'ail et l'oignon. Coupez le jambon en lamelles. Ciselez finement le persil. Faites revenir les champignons à la poêle dans l'huile pendant 5 minutes, salez, poivrez. Pendant ce temps, faites fondre le beurre dans une sauteuse. Mettez-y le jambon, l'ail, l'oignon et le persil. Ajoutez les champignons, mélangez bien et laissez mijoter 5 minutes.

Coup de cœur : *vous pouvez utiliser pour cette recette des champignons surgelés ou en bocal, de l'ail, de l'oignon et du persil surgelés.*

POMMES GRENAILLE AU CHORIZO

Préparation : 10 min – Cuisson : 25 min

300 g de pommes de terre grenailles • 100 g de chorizo • 1 gousse d'ail • 1 cuil. à soupe d'huile d'olive • 2 pincées de piment d'Espelette • sel, poivre

Réalisation

Lavez et essuyez les pommes de terre. Pelez la gousse d'ail, émincez-la. Coupez le chorizo en dés. Faites cuire les pommes de terre pendant 15 minutes dans de l'eau bouillante. Versez l'huile dans une cocotte, faites dorer les dés de chorizo et les pommes de terre avec l'ail pendant 5 minutes en mélangeant. Salez peu, parsemez d'un peu de piment d'Espelette. Répartissez dans deux petites cocottes, couvrez et servez chaud.

Coup de cœur : *accompagnez d'œufs brouillés ou d'une omelette.*

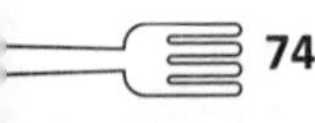

QUICHES AUX HERBES

Préparation : 15 min – Cuisson : 30 min

½ rouleau de pâte brisée • 2 branches de persil • ½ bouquet de cerfeuil • 2 œufs • 2 cuil. à soupe de crème fraîche • 75 g de gruyère râpé • sel, poivre

Réalisation

Préchauffez le four à 180 °C (th. 6). Découpez deux ronds dans la pâte à une dimension un peu supérieure à celle des moules à tartelettes. Garnissez les moules de pâte en formant un petit boudin sur les bords. Battez les œufs avec la crème fraîche, le gruyère, un peu de sel et de poivre. Ciselez finement les herbes, ajoutez-les à la crème aux œufs. Versez dans les moules et faites cuire pendant 30 minutes. Démoulez sur des assiettes, servez chaud.

Coup de cœur : *disposez sur chaque assiette une tranche de jambon aux herbes et de la salade de tomates assaisonnée à l'huile d'olive.*

QUICHES AUX TOMATES

Préparation : 15 min – Cuisson : 30 min

½ rouleau de pâte feuilletée • 2 tomates mûres • 2 œufs • 2 cuil. à soupe de crème fraîche • 2 pincées de piment d'Espelette • sel, poivre

Réalisation

Pelez les tomates, épépinez-les et coupez la chair en petits dés. Préchauffez le four à 180 °C (th. 6). Découpez deux ronds de pâte à une dimension un peu supérieure à celle des moules à tartelettes, garnissez-les en formant un petit boudin avec le surplus de pâte sur les bords. Battez les œufs avec la crème fraîche, du sel, du poivre et le piment. Ajoutez les dés de tomate. Versez dans les moules et faites cuire pendant 30 minutes. Démoulez sur les assiettes. Servez chaud.

SALADE CHINOISE À L'ANANAS

Préparation : 10 min – Cuisson : 2 min

8 crevettes cuites décortiquées • 300 g d'ananas en morceaux • 1 cuil. à soupe d'échalote émincée • 1 cuil. à soupe de gingembre émincé • 1 cuil. à soupe de menthe ciselée • 50 g de noix de cajou • 1½ cuil. à soupe de vinaigre balsamique

Réalisation

Coupez les crevettes en morceaux, mettez-les dans un saladier avec les morceaux d'ananas, ajoutez l'échalote, le gingembre et le vinaigre balsamique. Mélangez bien. Concassez grossièrement les noix de cajou et faites-les dorer à sec dans une poêle à revêtement antiadhésif. Saupoudrez-en la salade et parsemez de menthe ciselée. Servez frais.

SALADE D'ÉPINARDS AUX PISTACHES ET AUX LARDONS

Préparation : 5 min – Cuisson : 4 min

100 g de pousses d'épinard • 25 g de pistaches nature décortiquées concassées • 100 g d'allumettes de lard fumé • 1 petite gousse d'ail • ½ citron vert non traité • 1 cuil. à soupe de vinaigre balsamique • 2 cuil. à soupe d'huile • sel, poivre

Réalisation

Lavez et essorez les épinards. Épluchez l'ail, écrasez-le au-dessus d'un saladier. Versez le vinaigre, l'huile, du sel, du poivre et battez à la fourchette pour bien émulsionner. Prélevez le zeste du demi-citron vert et râpez-le. Pressez la moitié du fruit et versez le jus et les zestes dans la vinaigrette. Faites dorer les lardons pendant 4 minutes dans une poêle à revêtement antiadhésif. Mettez dans le saladier les épinards, mélangez, parsemez de lardons et de pistaches. Servez immédiatement.

SALADE DE CRABE À LA POMME

Préparation : 20 min

300 g de chair de crabe • 2 pommes rouges • 2 fromages Saint Môret • 2 cuil. à soupe de crème liquide • 4 cuil. à soupe de jus de citron • 4 branches de ciboulette • sel, poivre

Réalisation

Ciselez la ciboulette. Égouttez le crabe. Écrasez le Saint Môret avec la crème, le jus de citron, du sel et du poivre. Épluchez les pommes, râpez-les, incorporez-les ainsi que le crabe à la préparation au fromage. Mettez dans deux coupelles et réservez au frais en attendant de déguster.

***Coup de cœur :** vous pouvez corser la sauce en ajoutant une ou deux pincées de piment de Cayenne.*

SALADE DE CREVETTES À L'ANANAS

Préparation : 15 min

250 g de crevettes roses décortiquées • 1 petit ananas Victoria • 2 cm de gingembre • 4 cuil. à soupe de citron vert • 2 cuil. à soupe de nuoc-mâm • 2 cuil. à soupe de miel • ½ bouquet de coriandre

Réalisation

Épluchez l'ananas, coupez la chair en petits dés. Pelez et râpez le gingembre, mettez-le dans un bol, ajoutez le miel, le jus de citron, le nuoc-mâm et mélangez. Disposez dans deux coupes les dés d'ananas et les crevettes, arrosez-les de sauce et parsemez-les de coriandre ciselée. Servez bien frais.

***Coup de cœur :** cette recette se confectionne à l'avance, ce qui vous permet d'être disponibles.*

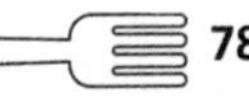

SALADE DE CREVETTES ET DE MÂCHE À L'ORANGE

Préparation : 15 min

8 grosses crevettes roses cuites • 2 poignées de mâche • 2 oranges • 2 cuil. à soupe de vinaigre balsamique • 2 cuil. à soupe d'huile d'olive • 2 cuil. à café de moutarde • 2 cuil. à café de sucre • 2 cuil. à soupe de graines de sésame • sel, poivre

Réalisation

Rincez et essorez la mâche, mettez-la dans un petit saladier. Pelez les oranges à vif en recueillant le jus de la découpe. Prélevez les quartiers de l'orange et disposez-les sur la mâche. Décortiquez les crevettes, ajoutez-les dans le saladier. Versez le jus d'orange dans un bol, ajoutez la moutarde, le sucre, le vinaigre, du sel et du poivre. Ajoutez l'huile en filet, mélangez puis versez sur la salade. Parsemez de graines de sésame.

SALADE DE FEUILLE DE CHÊNE AUX AIGUILLETTES DE CANARD

Préparation : 10 min – Cuisson : 10 min

250 g d'aiguillettes de canard • ½ salade feuille de chêne • 2 cuil. à soupe d'huile de noix • ½ cuil. à soupe de vinaigre balsamique • 1 cuil. à soupe de pignons de pin • sel, poivre

Réalisation

Épluchez la salade, lavez-la, essorez-la et répartissez-la sur deux assiettes. Mélangez dans un bol le vinaigre balsamique avec un peu de sel et de poivre et l'huile d'olive. Faites chauffer une poêle à revêtement antiadhésif et saisissez rapidement les aiguillettes à feu vif en les retournant plusieurs fois. Retirez-les avec une écumoire et déposez-les sur la salade. Arrosez de sauce et parsemez de pignons. Servez immédiatement.

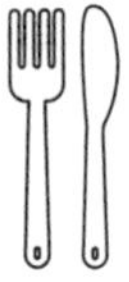

SALADE DE FIGUES À LA ROQUETTE ET AU JAMBON

Préparation : 10 min

2 figues violettes • 1 poignée de roquette • 2 tranches fines de jambon de pays • 1 cuil. à soupe de vinaigre balsamique • 2 cuil. à soupe d'huile d'olive • sel, poivre

Réalisation

Rincez et essorez la roquette. Lavez les figues et coupez-les en tranches. Mélangez dans un bol le vinaigre balsamique et l'huile d'olive avec un peu de sel et de poivre. Répartissez la roquette sur deux assiettes, arrosez-la de sauce et disposez dessus les tranches de figue et les tranches de jambon.

SALADE DE GAMBAS AUX HERBES

Préparation : 10 min – Cuisson : 7 min

10 gambas • 1 poignée de mesclun • 6 feuilles de basilic • 6 feuilles de menthe • 2 branches de coriandre • 1 échalote • 2 cm de gingembre • 1 citron vert • 2 cuil. à soupe de cacahuètes • 3 cuil. à soupe d'huile d'olive • 1 pointe de couteau de piment rouge en poudre • sel, poivre

Réalisation

Lavez et essorez le mesclun et les herbes, répartissez-les dans deux assiettes. Pressez le citron vert. Pelez l'échalote et le gingembre, hachez-les, mettez-les dans un bol, ajoutez le jus de citron, l'huile, du sel, du poivre et le piment. Décortiquez les gambas, faites-les pocher pendant 5 minutes dans de l'eau bouillante salée. Égouttez-les et déposez-les sur les herbes. Arrosez de sauce. Faites griller les cacahuètes à sec dans une poêle, concassez-les grossièrement et saupoudrez-en les assiettes.

SALADE DE HARICOTS VERTS AU CRABE

Préparation : 10 min – Cuisson : 8 min

400 g de haricots verts frais ou surgelés • 200 g de chair de crabe • ½ bouquet de ciboulette • ½ citron • ½ cuil. à soupe de moutarde forte • 1 yaourt nature • sel, poivre

Réalisation

Faites cuire les haricots verts pendant 8 minutes dans de l'eau bouillante salée ; surveillez la cuisson pour qu'ils restent croquants. Égouttez-les, mettez-les dans un saladier. Ajoutez le crabe égoutté. Pressez le demi-citron, mélangez le jus avec la moutarde, le yaourt, du sel et du poivre. Versez sur la salade, mélangez et décorez de brins de ciboulette ciselés. Servez aussitôt.

Coup de cœur : *vous pouvez aussi servir cette salade froide.*

SALADE DE MÂCHE AUX SAINT-JACQUES ET AU PARMESAN

Préparation : 10 min – Cuisson : 4 min

6 ou 8 noix de Saint-Jacques • 2 grosses poignées de mâche • 30 g de parmesan râpé • 2 cuil. à soupe de vinaigre balsamique • 6 cuil. à soupe d'huile d'olive • sel, poivre du moulin

Réalisation

Mélangez le vinaigre avec quatre cuillerées à soupe d'huile, un peu de sel et de poivre. Répartissez le mélange dans deux coupelles. Rincez et essorez la mâche, déposez-la dans les coupelles. Épongez les noix de Saint-Jacques, badigeonnez-les d'huile, salez et poivrez, puis faites-les cuire à la poêle pendant 3 à 4 minutes selon leur épaisseur. Mélangez la mâche avec la sauce, déposez dessus les noix de Saint-Jacques. Saupoudrez de parmesan râpé.

SALADE DE MÂCHE, SAUMON ET BAIES ROSES

Préparation : 10 min

½ sachet de mâche • 300 g de saumon frais • ½ citron vert • ½ citron jaune • 5 cl de crème liquide • 2 cuil. à soupe d'huile d'olive • 1 cuil. à soupe de baies roses • 6 brins de ciboulette • sel, poivre

Réalisation

Lavez et essorez la mâche, répartissez-la sur deux assiettes. Pressez les demi-citrons, mélangez le jus obtenu dans un saladier avec la crème, l'huile, la ciboulette ciselée, du sel et du

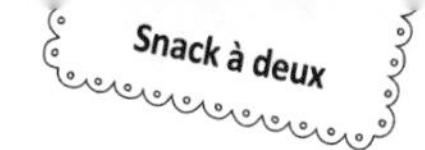

poivre. Hachez grossièrement le saumon au couteau, mettez-le dans le saladier, mélangez bien, puis déposez-le sur la salade. Parsemez de baies roses. Servez bien frais.

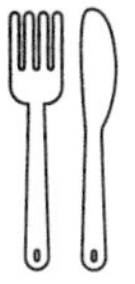

SALADE DE MOZZARELLA À LA COPPA ET AUX PIGNONS

Préparation : 10 min

½ sachet de roquette • 1 boule de mozzarella • 2 tomates cerise • 1 cuil. à soupe de pignons • 6 à 8 tranches fines de coppa • ½ cuil. à soupe de vinaigre balsamique • 1½ cuil. à soupe d'huile d'olive • sel, poivre

Réalisation

Rincez et essorez la roquette. Détaillez la mozzarella en tranches fines. Coupez les tomates cerise en deux. Dans un bol, mélangez le vinaigre balsamique, l'huile, du sel et du poivre. Répartissez la roquette sur deux assiettes, arrosez-la de sauce. Disposez sur la salade les tranches de coppa et de mozzarella, décorez chaque assiette de deux moitiés de tomate cerise et parsemez de pignons.

Coup de cœur : *afin que les pignons soient croquants et parfumés, faites-les griller à sec dans une poêle pendant quelques minutes sans les faire brûler.*

SALADE DE POULET À L'AVOCAT ET AU CURRY

Préparation : 15 min – Cuisson : 10 min

2 blancs de poulet cuits • 2 petits avocats • 2 œufs • 4 cuil. à soupe de mayonnaise • 2 cuil. à café de curry en poudre • 4 cuil. à soupe de jus de citron

Réalisation

Faites durcir les œufs à l'eau bouillante pendant 10 minutes, rafraîchissez-les, écalez-les et coupez-les en quatre. Coupez les avocats en deux, ôtez les noyaux, coupez la chair en lamelles et citronnez-les. Coupez les blancs de poulet en dés. Mélangez le curry à la mayonnaise. Disposez sur le bord de deux assiettes les lamelles d'avocat, les dés de poulet, les quartiers d'œuf et versez la mayonnaise au centre des assiettes. Mettez au frais en attendant de déguster.

SALADE DE SAUMON FUMÉ AU CHÈVRE FRAIS

Préparation : 10 min

150 g de saumon fumé • 100 g de chèvre frais • 4 dattes • 1 sachet de mesclun • 1 branche d'estragon • 1 branche de ciboulette • 1 branche de persil plat • 1 cuil. à soupe de vinaigre balsamique • 2 cuil. à soupe d'huile d'olive • sel, poivre

Réalisation

Lavez et essorez le mesclun. Coupez les dattes en petits dés. Taillez le saumon fumé en lanières et le chèvre frais en dés. Ciselez les herbes. Préparez la sauce en fouettant le vinaigre balsamique avec l'huile d'olive et un peu de sel et de poivre.

Au moment de servir, disposez le mesclun dans deux coupes, arrosez de sauce, mélangez, puis déposez dessus les lamelles de saumon et les dés de chèvre. Décorez avec les herbes ciselées et les morceaux de datte.

***Coup de cœur :** si vous n'aimez pas le mélange sucré-salé, remplacez les dattes par des tomates cerise coupées en quatre.*

SALADE PÉRIGOURDINE

Préparation : 15 min – Cuisson : 8 min

300 g de haricots verts très fins • ½ boîte de maïs • ½ sachet de magret de canard fumé • 100 g de foie gras au naturel • ½ bol de vinaigrette à l'huile d'arachide

Réalisation

Épluchez les haricots verts et faites-les cuire dans une grande casserole d'eau bouillante salée pendant 8 minutes. Surveillez la cuisson, ils doivent rester légèrement croquants. Pendant ce temps, égouttez le maïs et découpez le foie gras en grosses lamelles. Égouttez les haricots, rincez-les à l'eau froide, égouttez-les à nouveau et mettez-les dans un plat creux. Disposez dessus le maïs, arrosez de vinaigrette, puis ornez avec les magrets et les lamelles de foie gras.

***Coup de cœur :** si vous n'avez pas le temps d'éplucher des haricots verts frais, utilisez des haricots surgelés, qui restent fermes à la cuisson, plutôt que des haricots en conserve.*

TARTARE AUX DEUX SAUMONS, AU GINGEMBRE ET AU SÉSAME

Préparation : 15 min – Cuisson : 2 min

150 g de filets de saumon frais • 150 g de dés de saumon fumé • 1,5 cm de gingembre • ½ botte de ciboulette • 1 jaune d'œuf • ½ cuil. à café de moutarde • 4 cuil. à soupe d'huile • ½ citron • 1 cuil. à soupe de graines de sésame • sel, poivre

Réalisation

Coupez les deux saumons en très petits dés à l'aide d'un couteau bien aiguisé. Ciselez la ciboulette. Pelez et hachez le gingembre. Pressez le demi-citron. Faites griller les graines de sésame à sec dans une poêle à revêtement antiadhésif. Fouettez le jaune d'œuf avec la moutarde dans un bol, salez, poivrez, puis versez l'huile goutte à goutte. Incorporez le jus de citron. Mélangez les poissons avec la mayonnaise, la ciboulette et le gingembre, répartissez dans deux coupes et saupoudrez de graines de sésame. Servez frais.

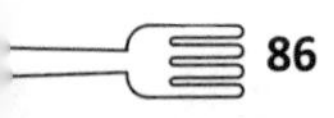

TARTE FINE AUX CÈPES ET AU BEURRE D'AROMATES

Préparation : 20 min – Attente : 4 h – Cuisson : 15 min

Pâte : 125 g de farine • ½ sachet de levure • 10 cl d'huile d'olive • sel

Garniture : 50 g de cèpes séchés • 1 cuil. à soupe d'huile d'olive • 50 g de beurre • 25 g de tomates confites • 2 échalotes • 2 branches de persil plat • 1 gousse d'ail • sel, poivre

Réalisation

Sortez le beurre à l'avance du réfrigérateur. Mettez les cèpes séchés dans un saladier et recouvrez-les d'eau chaude. Laissez-les se réhydrater au moins 3 heures en changeant l'eau régulièrement. Pétrissez la farine, la levure, une pincée de sel et l'huile d'olive. Roulez la pâte en boule et laissez-la lever à température ambiante pendant 40 minutes. Pétrissez encore et laissez en attente 20 minutes. Égouttez les cèpes, séchez-les, coupez-les en lamelles. Faites-les sauter dans l'huile, salez, poivrez. Épluchez ail et échalotes, hachez-les grossièrement avec les tomates confites et le persil, et incorporez-les au beurre ramolli. Préchauffez le four à 210 °C (th. 7). Étalez la pâte, garnissez-en deux moules à tarte individuels huilés, disposez dessus les lamelles de cèpe. Enfournez et laissez cuire 10 minutes. Mettez une noix de beurre sur chaque tartelette chaude au moment de servir.

Petits plats pour dîner en tête à tête

La viande...
on l'aime tendre !

AGNEAU À L'ORIENTALE

Préparation : 4 min – Cuisson : 6 min

300 g d'agneau haché • 1 oignon • ½ gousse d'ail • 1 cuil. à café de sumac • 1 cuil. à café de paprika • 2 cuil. à soupe d'huile d'olive • sel, poivre

Réalisation

Pelez et hachez l'ail et l'oignon, mélangez-les avec l'agneau haché, le sumac, le paprika, du sel et du poivre. Façonnez des petites boulettes entre vos mains. Faites chauffer l'huile dans une poêle, mettez-y les boulettes à dorer sur toutes leurs faces à feu vif puis baissez le feu et poursuivez la cuisson pendant 5 minutes.

Coup de cœur : *servez avec de la semoule cuite à la vapeur et une salade de tomates.*

AGNEAU, CITRON ET GINGEMBRE

Préparation : 10 min – Cuisson : 1 h

300 g d'épaule d'agneau • 1 citron non traité • 4 petits oignons • 2 cm de gingembre • 1 gousse d'ail • 2 petites cuil. à soupe d'huile d'olive • sel, poivre

Réalisation

Détaillez la viande en cubes. Coupez le citron en deux. Prélevez le zeste d'une moitié, râpez-le et pressez le fruit. Épluchez la gousse d'ail, hachez-la. Pelez le gingembre, coupez-le en julienne. Pelez les oignons. Faites chauffer l'huile dans une cocotte, faites dorer les morceaux d'agneau en les retournant souvent pendant 5 minutes, puis ajoutez l'ail, le gingembre, le

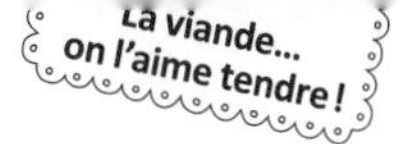

demi-citron restant, les oignons entiers et un peu de sel et de poivre. Arrosez de 5 cl d'eau. Mélangez, couvrez et laissez cuire à feu très doux pendant 45 minutes. Servez dans la cocotte.

Coup de cœur : *servez avec de la semoule aux raisins secs.*

BLANCS DE DINDE À L'ESTRAGON

Préparation : 15 min – Cuisson : 25 min

2 escalopes de dinde • 100 g de champignons de Paris • 4 branches d'estragon • 2 cuil. à soupe de crème fraîche • 25 g de beurre • 1 cuil. à café de moutarde à l'ancienne • sel, poivre

Réalisation

Ciselez les feuilles d'estragon. Lavez, essuyez et émincez les champignons. Faites chauffer un peu de beurre dans une poêle et faites revenir les champignons émincés pendant 10 minutes environ. Réservez-les dans une assiette. Remettez un peu de beurre dans la poêle et faites dorer les escalopes pendant 5 minutes de chaque côté. Ajoutez les champignons, salez, poivrez et parsemez d'estragon. Disposez les escalopes sur un plat et déglacez la poêle avec la moutarde et la crème. Remuez doucement et versez cette sauce sur les escalopes. Servez aussitôt.

Coup de cœur : *accompagnez ce plat de pâtes fraîches.*

BLANCS DE POULET MARINÉS AU CITRON

Préparation : 10 min – Marinade : 1 h – Cuisson : 25 min

2 blancs de poulet • 2 gousses d'ail • 2 citrons non traités • 1 feuille de laurier • 1 branche de romarin • 3 cuil. à soupe d'huile d'olive • sel, poivre

Réalisation

Pressez un citron, coupez le second en tranches fines en recueillant le jus. Épluchez l'ail, émincez-le. Mettez les blancs de poulet dans un plat creux, émiettez dessus la feuille de laurier, effeuillez le romarin, salez, poivrez, parsemez d'ail émincé puis arrosez avec le jus de citron et une cuillerée à soupe d'huile. Retournez les blancs de poulet dans la marinade, puis mettez au frais pendant 1 heure. Préchauffez le four à 180 °C (th. 6). Faites chauffer le reste d'huile dans une sauteuse, faites dorer les blancs de poulet. Mettez-les ensuite dans un plat à four, recouvrez-les de jus de cuisson, de marinade et de rondelles de citron et enfournez. Laissez cuire 20 minutes.

BOULETTES À LA CORIANDRE

Préparation : 15 min – Cuisson : 10 min

300 g de bœuf haché • 2 œufs • 1 petit oignon • 1 gousse d'ail • 1 cuil. à café de cumin en poudre • 15 cl de lait • 1 grosse tranche de pain de mie • 2 cuil. à soupe de farine • 4 branches de coriandre • 4 cuil. à soupe d'huile d'olive • sel, poivre

Réalisation

Versez le lait dans un bol, émiettez la tranche de pain de mie dans le lait. Pelez l'ail et l'oignon, hachez-les avec la coriandre.

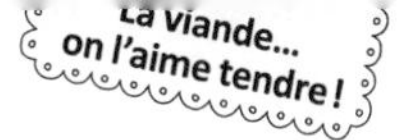

Mélangez dans une jatte le bœuf, un œuf, la mie de pain égouttée, le hachis, incorporez le cumin, du sel et du poivre. Façonnez des petites boulettes. Versez la farine dans une assiette creuse, battez l'œuf restant dans une autre assiette creuse. Passez les boulettes successivement dans la farine et dans l'œuf battu. Faites chauffer l'huile dans une grande poêle à revêtement antiadhésif, faites dorer les boulettes en remuant la poêle pour les retourner. Déposez les boulettes sur un papier absorbant avant de servir.

Coup de cœur : *servez ces boulettes parfumées en plat avec une salade de tomates ou des carottes confites, ou encore froides à l'apéritif.*

BOULETTES DE BŒUF AU BASILIC

Préparation : 15 min – Cuisson : 45 min

300 g de steak haché • 40 g de mie de pain • 3 cuil. à soupe de lait • 1 gousse d'ail • 1 œuf • 50 g de gruyère râpé • 2 branches de basilic • 1 oignon • 400 g de tomates • 1 cuil. à soupe d'huile d'olive • sel, poivre

Réalisation

Épluchez et émincez l'oignon. Faites-le revenir dans une sauteuse avec l'huile. Pelez, épépinez les tomates et coupez-les en morceaux. Mettez-les dans la sauteuse et laissez cuire à feu moyen pendant 20 minutes. Pendant ce temps, mettez la viande dans un plat. Épluchez l'ail, pressez-le au-dessus du plat. Ajoutez l'œuf, le basilic et le gruyère râpé. Salez et poivrez, mélangez bien. Faites chauffer le lait dans une casserole. Émiettez le pain, mettez-le dans le lait chaud. Retirez du feu et travaillez avec une fourchette jusqu'à obtention d'une pâte. Ajoutez-la à la viande et formez des boulettes. Mettez-les dans la sauce tomate. Faites cuire pendant 15 minutes. Parsemez de basilic ciselé au moment de servir.

BOULETTES DE PORC AUX ÉPICES

Préparation : 15 min – Cuisson : 10 min

400 g de porc dans l'échine haché • 2 tranches de pain rassis • 4 pincées de cannelle en poudre • 4 pincées de piment de Cayenne • 4 cuil. à soupe de cacahuètes nature décortiquées • 6 branches de coriandre • 4 cuil. à soupe d'huile d'arachide • sel, poivre

Réalisation

Mixez la viande avec le pain, les épices, les cacahuètes et la coriandre. Salez et poivrez. Façonnez des petites boulettes entre vos mains. Faites chauffer l'huile dans une poêle, faites cuire les boulettes en les retournant régulièrement pendant 10 minutes. Dégustez-les dès qu'elles sont dorées.

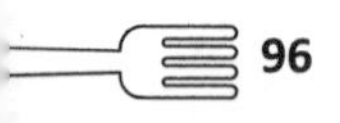

BROCHETTES DE BŒUF MARINÉES

Préparation : 10 min – Marinade : 3 h – Cuisson : 10 min

350 g de rumsteck ou de filet de bœuf • 1 courgette

Marinade : 2 petits oignons • ½ gousse d'ail • 3 clous de girofle • ½ cuil. à café de thym • ¼ de cuil. à soupe de Tabasco • 1 cuil. à soupe de miel liquide • ½ cuil. à soupe de ketchup épicé • ¼ de citron • sel, poivre

Réalisation

Préparez la marinade : pressez le quartier de citron, versez le jus dans un plat creux. Épluchez et hachez l'ail et les oignons, mettez-les dans le plat. Ajoutez les clous de girofle, le thym, le ketchup, le miel, le Tabasco, un peu de sel et de poivre. Mélangez bien. Coupez la viande en cubes, mettez-les dans la marinade, retournez les morceaux pour qu'ils soient enrobés, couvrez le plat et laissez reposer pendant 3 heures. Lavez la courgette, coupez-la en rondelles. Égouttez la viande et composez les brochettes en alternant cubes de viande et rondelles de courgette. Faites cuire au barbecue pendant environ 10 minutes.

BROCHETTES DE FILET MIGNON, MIEL, OLIVES ET CITRON

Préparation : 10 min – Marinade : 30 min – Cuisson : 20 min

1 petit filet mignon • 1 citron non traité • 1 cuil. à soupe de miel • 2 cuil. à soupe d'huile d'olive • 8 olives noires dénoyautées • 2 branches de thym • sel, poivre

Réalisation

Coupez le citron en deux. Pressez une moitié, mélangez le jus dans un plat avec le miel, le thym effeuillé et l'huile d'olive. Coupez le demi-citron restant en petits morceaux. Coupez le filet mignon en cubes. Enfilez sur des brochettes un cube de filet, un morceau de citron et une olive, renouvelez jusqu'à épuisement des ingrédients. Mettez les brochettes dans un plat à four, enrobez-les de marinade et laissez reposer pendant 30 minutes. Préchauffez le four à 210 °C (th. 7). Mettez le plat au four et laissez cuire pendant 20 minutes en retournant les brochettes de temps en temps.

CAILLES AMOUREUSES

Préparation : 15 min – Cuisson : 30 min

2 cailles • 2 tranches fines de lard fumé • 4 olives noires dénoyautées • 6 raisins secs • 2 noix • 2 carottes • 1 oignon • 1 poireau • 2 feuilles de laurier • 1 branche de thym • 8 cl de porto • 2 cuil. à soupe d'huile d'olive • sel, poivre

Réalisation

Versez le porto dans un bol, faites-y macérer les raisins secs. Pelez les carottes et l'oignon, émincez-les finement. Nettoyez le poireau et coupez-le en fine julienne. Égouttez les raisins, hachez-les grossièrement avec les olives et les noix, farcissez les cailles avec ce hachis. Enroulez-les d'une tranche de lard fumé. Faites chauffer l'huile dans une cocotte, faites revenir les légumes émincés en mélangeant pendant 3 minutes, salez, poivrez, ajoutez le thym, le laurier, le porto de la marinade et les cailles. Couvrez et laissez cuire à feu très doux pendant 30 minutes. Laissez reposer les cailles à couvert pendant 5 minutes avant de les disposer sur les assiettes entourées de légumes.

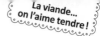

CAILLES AU RAISIN

Préparation : 30 min – Cuisson : 35 min

2 cailles • 1 grappe de raisin blanc muscat • 1 bouquet garni • 1 cuil. à soupe de fond de volaille • 40 g de beurre • 5 cl de vin blanc sec • sel, poivre

Réalisation

Lavez rapidement le raisin, égrainez-le et pelez chaque grain. Introduisez une noisette de beurre à l'intérieur de chaque caille. Salez et poivrez. Faites fondre 30 g de beurre dans une cocotte et faites dorer les cailles en les retournant régulièrement. Ajoutez le fond de volaille, le vin blanc et le bouquet garni. Couvrez la cocotte et laissez cuire pendant 30 minutes. À la fin de la cuisson, retirez les cailles et déposez-les sur le plat de service. Réservez au chaud. Mettez le raisin dans la cocotte et faites cuire à feu vif jusqu'à ce que le jus épaississe. Versez la sauce sur les cailles et servez aussitôt.

Coup de cœur : *servez avec des toasts de pain de mie dorés à la poêle dans un peu d'huile.*

CANARD AU CURRY

Préparation : 5 min – Cuisson : 10 min

1 magret de canard de 300 g • 10 cl de lait de coco • 1 cuil. à soupe de gingembre moulu • 1 cuil. à soupe de curry doux • 2 petites cuil. à soupe d'huile de tournesol • sel, poivre

Réalisation

Ôtez la peau du magret, coupez-le en fines tranches. Faites chauffer l'huile dans un wok ou une sauteuse, faites sauter les tranches de canard pendant 2 minutes, salez, poivrez, saupoudrez de gingembre et de curry, arrosez de lait de coco et prolongez la cuisson pendant 4 à 5 minutes.

CARI DE POULET

Préparation : 15 min – Cuisson : 45 min

2 cuisses de poulet • 2 cuil. à soupe d'oignon émincé • 1 cuil. à café d'ail émincé • ½ pomme • ½ yaourt • 1 cuil. à soupe de concentré de tomates • ½ cuil. à soupe de noix de coco • ½ dose de safran • ½ cuil. à café de curry • ½ cuil. à soupe d'huile d'olive • sel, poivre

Réalisation

Pelez la demi-pomme, ôtez le trognon et coupez-la en dés. Faites revenir les cuisses de poulet dans l'huile. Ajoutez l'oignon, l'ail, la pomme, le yaourt, le concentré de tomates, la noix de coco, le safran et le curry, du sel et du poivre. Arrosez

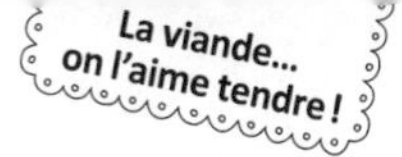

d'un petit verre d'eau, mélangez bien. Faites cuire à très petit feu pendant 40 minutes. Vérifiez l'assaisonnement et servez très chaud.

Coup de cœur : *accompagnez ce cari de riz basmati.*

CARPACCIO DE BŒUF AU PARMESAN

Préparation : 10 min – Congélation : 30 min

300 g de filet de bœuf • 4 cuil. à soupe d'huile d'olive • 1 citron • 30 g de parmesan râpé • ½ bouquet de basilic • sel, poivre

Réalisation

Placez la viande enveloppée dans un film alimentaire au congélateur pendant 30 minutes. Pressez le citron, mélangez le jus avec l'huile, du sel, du poivre et le parmesan râpé. Sortez la viande du congélateur et coupez-la en très fines lamelles. Disposez-les sur les assiettes légèrement huilées. Parsemez de basilic ciselé. Servez le carpaccio avec la sauce au parmesan en saucière.

COCOTTE DE POULET, CHAMPIGNONS ET OLIVES

Préparation : 10 min – Cuisson : 35 min

½ poulet coupé en morceaux • 125 g de champignons blancs • 75 g d'olives vertes dénoyautées • 5 petits oignons grelots • ½ cuil. à soupe d'huile d'olive • 2 cl d'armagnac • 5 cl de vin blanc • sel, poivre

Réalisation

Lavez, essuyez et émincez les champignons. Pelez les oignons, laissez-les entiers. Faites chauffer l'huile dans une cocotte, mettez les morceaux de poulet et faites-les dorer sur toutes leurs faces en les retournant souvent pendant 5 minutes puis ajoutez les oignons. Laissez cuire pendant 5 minutes supplémentaires. Versez l'armagnac chaud dans la cocotte, flambez rapidement. Mouillez avec le vin blanc, salez, poivrez, ajoutez les olives et les champignons. Couvrez et laissez cuire environ 30 minutes. Servez bien chaud.

Coup de cœur : *accompagnez de polenta gratinée.*

COCOTTE DE VEAU AUX FINES HERBES

Préparation : 10 min – Cuisson : 1 h

350 g de noix de veau • 100 g d'oignons grelots • ½ bouquet de persil plat • ½ bouquet d'estragon • ½ bouquet de cerfeuil • 5 cl de vin blanc • 1 cuil. à café de fond de veau en poudre • 2 cuil. à soupe d'huile d'olive • ½ citron non traité • sel, poivre

Réalisation

Lavez, séchez et ciselez très finement toutes les herbes. Épluchez les oignons et laissez-les entiers. Lavez le demi-citron et coupez-le en tranches fines. Faites chauffer l'huile dans une cocotte et faites dorer le morceau de veau sur toutes ses faces. Ajoutez les oignons, les rondelles de citron, la moitié des herbes ciselées, saupoudrez de fond de veau, arrosez de vin et de 12 cl d'eau, salez, poivrez, mélangez. Couvrez et laissez cuire pendant 1 heure. Sortez la viande, découpez-la en tranches, déposez-la sur le plat de service, arrosez de sauce et saupoudrez avec le reste d'herbes ciselées. Servez bien chaud.

Coup de cœur : *accompagnez ce plat de pâtes fraîches.*

COLOMBO DE POULET

Préparation : 10 min – Marinade : 4 h – Cuisson : 45 min

½ poulet coupé en morceaux • 3 gousses d'ail • 1 oignon • 2 grosses pommes de terre • ½ citron • 25 cl de bouillon de volaille • 1 cuil. à soupe d'épices à colombo • ½ cuil. à soupe de quatre-épices • 2 cuil. à soupe d'huile d'olive • sel, poivre

Réalisation

Pelez l'oignon et les gousses d'ail, hachez-les et mettez-les dans une jatte. Pressez le demi-citron et ajoutez le jus ainsi que les épices. Mettez les morceaux de poulet dans cette marinade, retournez-les plusieurs fois pour qu'ils soient bien enrobés et couvrez d'un film alimentaire. Mettez 4 heures au réfrigérateur. Épluchez les pommes de terre et coupez-les en quatre. Faites chauffer l'huile dans une cocotte, faites dorer les morceaux de poulet en les retournant puis ajoutez la marinade et le bouillon ainsi que les pommes de terre coupées. Couvrez et laissez cuire pendant 45 minutes. Servez chaud.

COCOTTE D'AGNEAU AUX CITRONS CONFITS

Préparation : 10 min – Cuisson : 3 h

600 g d'épaule d'agneau • 2 oignons • 2 citrons confits • 2 gousses d'ail • 40 cl de bouillon de volaille • 2 cuil. à soupe d'huile d'olive • ½ bouquet garni • ½ cuil. à café de cumin en poudre • ½ cuil. à café de cannelle en poudre • 75 g de raisins secs • 25 g d'amandes effilées • ½ bouquet de coriandre • sel, poivre

Réalisation

Détaillez la viande en gros cubes en la dégraissant. Pelez et émincez finement les gousses d'ail et les oignons. Coupez les citrons confits en dés. Faites chauffer l'huile dans une cocotte puis faites dorer les morceaux d'épaule en les retournant. Ajoutez les oignons et l'ail émincés, les dés de citron confit, le bouquet garni, les épices, les raisins, et un peu de sel et de poivre. Arrosez de bouillon. Faites cuire pendant 3 heures à feu très doux.

Faites griller les amandes à sec dans une poêle à revêtement antiadhésif, ciselez la coriandre et parsemez-en la cocotte.

COQUELET AU CITRON

Préparation : 20 min – Marinade : 1 h – Cuisson : 40 min

1 gros coquelet • 2 oignons • 1 gousse d'ail • 2 cuil. à soupe d'huile d'arachide • ½ citron • sel, poivre

Réalisation

Épluchez l'ail et l'oignon et hachez-les. Pressez le demi-citron. Coupez le coquelet en deux et aplatissez-le. Mixez l'oignon, l'ail, l'huile et le jus de citron, avec un peu de sel et de poivre jusqu'à obtention d'un mélange homogène. Nappez le coquelet avec cette préparation. Laissez macérer au frais pendant 1 heure. Préchauffez le four à 180 °C (th. 6). Sortez le coquelet de la marinade et déposez-le dans un plat à gratin. Laissez cuire au four pendant 40 minutes.

Coup de cœur : *servez ce coquelet avec de la polenta.*

COQUELET AU VINAIGRE

Préparation : 15 min – Cuisson : 45 min

1 beau coquelet coupé en deux • 2 cuil. à soupe d'huile d'arachide • 1 gousse d'ail • 1 cuil. à soupe de moutarde • 1 cuil. à soupe de vinaigre de vin • 4 cl de vin blanc sec • 1 cuil. à soupe de concentré de tomates • 20 g de beurre • 1 branche d'estragon • sel, poivre

Réalisation

Fouettez dans un bol la moutarde, le vinaigre, le concentré de tomates, le vin blanc, un peu de sel et de poivre. Pelez et écrasez l'ail. Faites chauffer l'huile dans une sauteuse, faites dorer les demi-coquelets avec l'ail. Versez le contenu du bol, baissez le feu, couvrez et laissez cuire doucement pendant 35 minutes. Déposez le coquelet sur deux assiettes, gardez au chaud. Faites réduire la sauce de moitié à feu vif, incorporez le beurre en petits morceaux. Versez sur les demi-coquelets, parsemez de feuilles d'estragon ciselées.

COQUELET EN COCOTTE AUX DEUX POMMES

Préparation : 10 min – Cuisson : 1 h

1 coquelet • 300 g de pommes de terre ratte • 1 pomme reinette • ½ citron • 5 cl de vinaigre de framboise • 15 cl de cidre • 10 g de beurre • 2 petites cuil. à soupe d'huile d'olive • sel, poivre

Réalisation

Découpez le coquelet en deux dans le sens de la longueur. Épluchez les pommes de terre. Pressez le demi-citron. Épluchez la pomme, coupez-la en quartiers et citronnez-la. Faites fondre le beurre avec l'huile dans une cocotte, faites-y dorer les demi-coquelets en les retournant souvent pendant 10 minutes, puis retirez-les. Versez le vinaigre de framboise dans la cocotte, faites bouillir et laissez réduire à feu vif pendant 2 minutes. Remettez les demi-coquelets, ajoutez les pommes de terre, les lamelles de pomme, salez, poivrez et arrosez de cidre. Baissez le feu, couvrez et laissez cuire pendant 40 minutes. Servez bien chaud.

CÔTELETTES D'AGNEAU À LA PROVENÇALE

Préparation : 20 min – Marinade : 30 min – Cuisson : 40 min

4 côtelettes d'agneau • 3 cuil. à soupe d'huile d'olive • 2 brins de thym • 1 feuille de laurier • 1 gousse d'ail • 1 citron • 250 g de petites pommes de terre • 1 oignon • 1 courgette • 1 aubergine • 2 tomates • sel, poivre

Réalisation

Épluchez la gousse d'ail, écrasez-la au presse-ail. Pressez le citron. Mélangez l'huile d'olive, le thym, le laurier, l'ail et le jus de citron dans un plat creux. Mettez les côtelettes dans cette marinade, retournez-les pour qu'elles soient imprégnées. Couvrez et mettez au réfrigérateur pendant 30 minutes environ. Pendant ce temps, pelez les oignons et coupez-les en dés ainsi que la courgette, l'aubergine et les tomates. Faites revenir tous ces légumes dans une sauteuse avec un peu d'huile d'olive. Salez et poivrez. Laissez mijoter pendant 15 minutes environ. Faites cuire les pommes de terre à la vapeur pendant 20 minutes. Égouttez les côtelettes, faites-les griller dans une poêle avec un peu d'huile pendant 5 minutes de chaque côté. Disposez-les sur un plat, entourez-les de légumes. Servez très chaud.

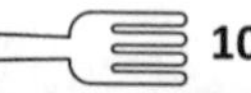

CROQUETTES DE PORC AU CINQ-PARFUMS

Préparation : 20 min – Réfrigération : 30 min – Cuisson : 10 min

400 g d'échine de porc • 1 œuf • ½ cuil. à soupe de cinq parfums • 2 pincées de piment de Cayenne • 1 cuil. à soupe de cacahuètes non salées • 2 cuil. à soupe d'huile d'arachide • 1 cuil. à soupe de farine • ½ bouquet de menthe • ½ bouquet de coriandre • sel, poivre

Réalisation

Battez l'œuf en omelette dans un saladier, salez, poivrez. Ciselez finement les herbes. Hachez les cacahuètes. Hachez le porc finement. Mettez ce hachis dans le saladier. Ajoutez le piment, le cinq-parfums, les cacahuètes et les herbes. Mélangez bien. Mettez la farine dans une assiette creuse. Formez des boulettes de la taille d'une noix et roulez-les dans la farine. Placez-les au réfrigérateur pendant 30 minutes au moins afin qu'elles durcissent. Faites chauffer l'huile dans un wok ou dans une sauteuse, faites frire les boulettes par petites quantités. Lorsqu'elles sont bien dorées, égouttez-les sur un papier absorbant. Servez très chaud.

Coup de cœur : *accompagnez ces délicieuses boulettes d'une salade fraîche de concombres à la menthe ou de tomates à la coriandre.*

CROQUETTES DE VEAU AUX NOISETTES

Préparation : 15 min – Attente : 2 h – Cuisson : 10 min

300 g de veau haché • 1 jaune d'œuf • 20 g de noisettes • 40 g de chapelure • 1 gousse d'ail • 2 branches de persil • 4 cuil. à soupe d'huile d'olive • sel, poivre

Réalisation

Hachez le persil et la gousse d'ail épluchée. Mélangez dans une jatte le veau haché avec le jaune d'œuf, le hachis de persil et d'ail, du sel et du poivre. Partagez la viande en quatre parts. Façonnez chaque part en petit boudin. Concassez finement les noisettes, mélangez-les à la chapelure dans une assiette creuse. Roulez les croquettes dans la chapelure aux noisettes à plusieurs reprises. Mettez-les sur un plat et laissez-les au frais pendant 2 heures. Au moment du repas, faites chauffer l'huile dans une poêle et faites frire les croquettes en les retournant souvent pendant 10 minutes.

CUISSES DE LAPIN AU CURCUMA

Préparation : 10 min – Cuisson : 40 min

2 cuisses de lapin • 1 cuil. à soupe de moutarde forte • 1 cuil. à soupe de miel liquide • 1 cuil. à soupe de curcuma • 2 cuil. à soupe d'huile d'olive • sel, poivre

Réalisation

Mélangez dans un bol la moutarde, le miel et le curcuma avec l'huile d'olive et un peu de sel et de poivre. Badigeonnez les cuisses de lapin avec ce mélange, déposez-les dans un plat à four et faites cuire pendant 40 minutes.

Coup de cœur : *accompagnez ce plat de polenta ou de semoule.*

CUISSES DE POULET AUX ÉPICES

Préparation : 10 min – Marinade : 45 min – Cuisson : 20 min

4 petites cuisses de poulet sans peau • ½ citron • 3 cm de gingembre • 1 gousse d'ail • 1 cuil. à café de sucre roux • 1 cuil. à café de miel liquide • ½ bouquet de coriandre • 1 piment vert • 2 cuil. à soupe d'huile de tournesol • sel

Réalisation

Préparez la marinade : épluchez l'ail, écrasez-le au presse-ail. Pressez le demi-citron. Pelez et râpez le gingembre. Épépinez le piment vert et hachez-le en vous lavant les mains immédiatement après l'avoir manipulé. Mélangez l'huile, le jus de citron, le gingembre, l'ail, le piment vert haché, du sel, le sucre et le miel dans un saladier. Placez les cuisses de poulet dans cette préparation, retournez-les plusieurs fois pour bien les enrober. Laissez mariner 45 minutes au frais. Préchauffez le gril. Hachez la coriandre et ajoutez-la à la marinade. Versez le poulet et sa marinade dans un plat à gratin. Faites griller 20 minutes environ en retournant les cuisses de temps en temps et en les arrosant avec la marinade jusqu'à ce que le poulet soit doré.

Coup de cœur : *servez avec du riz basmati.*

CURRY DE PORC

Préparation : 10 min – Cuisson : 20 min

400 g de filet de porc • ½ petite boîte de pulpe de tomate • ½ poivron rouge • 1 oignon • 1 gousse d'ail • 1½ tranche d'ananas au sirop • 1 cuil. à café de cannelle • 1 cuil. à soupe de curry • ½ citron vert • ½ yaourt • 2 cuil. à soupe d'huile d'arachide • sel, poivre

Réalisation

Épluchez l'oignon et l'ail, hachez-les. Lavez le demi-poivron, ouvrez-le, enlevez les graines et les parties blanches, coupez la chair en dés. Pressez le demi-citron vert. Coupez le porc en gros bâtonnets. Faites chauffer l'huile dans un wok ou dans une sauteuse, faites revenir les bâtonnets de porc avec l'ail et l'oignon hachés, les dés de poivron pendant 3 minutes, saupoudrez de cannelle et de curry, ajoutez la pulpe de tomate, le jus du citron vert, le demi-yaourt, un peu de sel et de poivre. Laissez mijoter à feu doux 15 minutes. Coupez les tranches d'ananas en morceaux, ajoutez-les au curry et prolongez la cuisson 2 minutes.

ÉMINCÉ DE BŒUF À L'ESTRAGON

Préparation : 15 min – Cuisson : 15 min

300 g de faux-filet de bœuf • 6 champignons de Paris • 4 branches d'estragon • 60 g de beurre • 1 cuil. à soupe de crème • sel, poivre

Réalisation

Coupez le bœuf en lanières. Lavez et essuyez les champignons, émincez-les. Effeuillez l'estragon et ciselez les feuilles. Faites fondre la moitié du beurre dans une poêle, faites revenir les champignons en les mélangeant souvent jusqu'à ce qu'ils aient rendu leur eau. Salez, poivrez et réservez. Faites fondre le reste de beurre dans une autre poêle, mettez les lanières de viande, faites-les cuire à feu très vif pendant 2 minutes en les retournant, puis ajoutez l'estragon et la crème. Au premier bouillon, ajoutez les champignons, mélangez et versez sur deux assiettes.

ÉMINCÉ DE BŒUF, SALADE DE ROQUETTE

Préparation : 10 min – Cuisson : 3 min

200 g de faux-filet de bœuf • 150 g de roquette • ½ cuil. à soupe de graines de sésame • 1 cuil. à soupe de vinaigre de xérès • 2 cuil. à soupe d'huile d'olive • sel, poivre du moulin

Réalisation

Coupez le bœuf en fines lamelles. Lavez et essorez la roquette, répartissez-la dans deux coupelles. Préparez la sauce en mélangeant le vinaigre et l'huile avec un peu de sel et de poivre. Faites griller les lamelles de viande sur un gril ou dans une poêle bien chaude pendant 2 à 3 minutes. Faites griller les graines de sésame à sec dans une poêle. Déposez la viande sur la roquette, arrosez de sauce et parsemez de graines de sésame.

ÉMINCÉ DE DINDE À LA NORMANDE

Préparation : 10 min – Cuisson : 20 min

2 escalopes de dinde • 200 g de champignons de Paris • 10 cl de crème fraîche • 25 g de beurre • sel, poivre

Réalisation

Lavez et essuyez les champignons, émincez-les. Coupez la viande en lamelles. Faites fondre le beurre dans une poêle, faites dorer les lamelles de dinde sur toutes leurs faces, puis retirez-les. Ajoutez les champignons, poursuivez la cuisson à feu doux en mélangeant jusqu'à évaporation de leur eau. Remettez alors la viande, salez, poivrez et versez la crème. Au premier bouillon, cessez la cuisson, versez sur le plat de service et servez très chaud.

Coup de cœur : *accompagnez ce plat de riz, de tagliatelles ou encore de courgettes cuites à la vapeur.*

ÉMINCÉ DE POULET AU PIMENT

Préparation : 10 min – Marinade : 30 min – Cuisson : 15 min

400 g de blancs de poulet • ½ piment oiseau séché • 1 gousse d'ail • 2 cuil. à soupe d'huile d'arachide • ½ bouquet de ciboulette • ½ bouquet de basilic • sel

Réalisation

Coupez les blancs de poulet en lanières. Épluchez la gousse d'ail et hachez-la. Ciselez les feuilles de basilic et la ciboulette. Mettez dans une terrine les lanières de poulet, l'ail haché, les herbes ciselées, salez, émiettez le demi-piment, mélangez. Recouvrez la terrine d'un film alimentaire et laissez mariner

30 minutes. Versez l'huile dans un wok ou dans une sauteuse, faites sauter les lanières de poulet avec leur marinade pendant 10 minutes en remuant constamment. Servez aussitôt.

ÉMINCÉ DE VEAU À LA SAUGE

Préparation : 3 min – Cuisson : 7 min

400 g d'escalope de veau • 3 cuil. à soupe de sauge séchée • 25 g de beurre • 2 cl de vin blanc sec • sel, poivre

Réalisation

Coupez le veau en lamelles et mettez-les dans une terrine. Saupoudrez-les de sauge et retournez-les plusieurs fois pour qu'elles soient bien imprégnées. Faites fondre le beurre dans une poêle, faites dorer les lamelles de veau à feu vif pendant 2 minutes, puis baissez le feu, salez, poivrez et laissez cuire pendant 5 minutes. Retirez le veau, mettez-le dans un plat de service chauffé. Versez le vin blanc dans la poêle. Portez à ébullition en grattant le fond de la poêle à la spatule pour décoller les sucs de cuisson. Nappez les lamelles de veau avec cette sauce, salez, poivrez et servez immédiatement.

Coup de cœur : *servez ce plat avec des champignons sautés ou des brocolis à la vapeur.*

ENTRECÔTE SAUCE MARCHAND DE VIN

Préparation : 15 min – Cuisson : 15 min

1 entrecôte • 2 échalotes • 18 cl de vin rouge • 50 g de beurre • ½ cuil. à café de fécule • sel, poivre

Réalisation

Épluchez les échalotes et hachez-les. Réservez. Faites cuire l'entrecôte à feu vif dans une poêle jusqu'au degré de cuisson désiré. Déposez-la sur le plat de service chauffé. Mettez les échalotes hachées dans la poêle, arrosez de vin, salez, poivrez et faites réduire la sauce en grattant le fond de la poêle avec une cuillère en bois pour détacher les sucs de la viande. Délayez la fécule avec une demi-cuillerée à soupe de sauce, versez dans la poêle. Ajoutez le beurre par petits morceaux et laissez cuire en remuant jusqu'à ce que la sauce nappe la cuillère. Versez sur l'entrecôte. Servez immédiatement.

ESCALOPES DE POULET AU BEURRE DE CITRON ET DE GENIÈVRE

Préparation : 10 min – Cuisson : 10 min

2 escalopes de poulet • 50 g de beurre • ½ bouquet de persil plat • ½ citron non traité • 1 cuil. à soupe de baies de genièvre • ½ gousse d'ail • sel, poivre

Réalisation

Sortez le beurre à l'avance du réfrigérateur. Râpez le zeste du demi-citron, concassez finement les baies de genièvre. Lavez et épongez les feuilles de persil, hachez-les. Mettez le beurre dans un grand bol, ajoutez le zeste de citron, les baies de genièvre, le persil, du sel et du poivre. Mélangez bien à la fourchette. Façonnez un boudin avec ce beurre, enveloppez-le dans un film alimentaire et mettez-le au réfrigérateur. Faites cuire les escalopes de poulet dans une poêle avec une noisette de beurre. Déposez-les sur deux assiettes. Coupez quatre rondelles de beurre, déposez-les sur chaque escalope et servez immédiatement.

Coup de cœur : *servez avec des pâtes. Confectionnez ce beurre à l'avance, vous pouvez le garder plusieurs jours au réfrigérateur, et l'utiliser pour des pâtes, des pommes de terre à l'eau, du poisson...*

ESCALOPES DE VEAU AU JAMBON DE PARME

Préparation : 10 min – Cuisson : 10 min

2 fines escalopes de veau • 2 tranches de jambon de Parme • 2 tranches de fromage de raclette • 7 cl de vin blanc sec • 25 g de beurre • sel, poivre

Réalisation

Faites dorer les escalopes à la poêle dans le beurre pendant 5 minutes. Préchauffez le four à 180 °C (th. 6). Disposez les escalopes dans un plat à four. Mettez sur chacune d'elles une tranche de jambon et une tranche de raclette, salez modérément, poivrez. Déglacez la poêle avec le vin blanc en grattant avec une spatule en bois pour détacher les sucs, et versez sur la viande. Faites gratiner pendant 5 minutes.

Coup de cœur : *accompagnez de brocolis à la vapeur et de pâtes fraîches.*

FILET DE BŒUF CROÛTE D'ÉPICES

Préparation : 10 min – Cuisson : 8 min

2 pavés de bœuf dans le filet • 1 cuil. à café de poivres mélangés • 4 pincées de cumin • 2 pincées de piment • ½ cuil. à café de graines de coriandre • ½ cuil. à café de sel de Guérande • 20 g de beurre • 1 cuil. à soupe d'huile d'olive

Réalisation

Concassez les poivres avec la coriandre et le sel, ajoutez le piment et le cumin, mélangez dans une assiette creuse. Badigeonnez les pavés de bœuf d'huile, puis enrobez-les de ce mélange en les retournant plusieurs fois. Faites fondre le beurre dans une poêle, dès qu'il grésille, mettez les pavés et laissez-les cuire pendant 5 à 8 minutes en les retournant à mi-cuisson. Servez aussitôt.

Coup de cœur : *servez ces pavés avec un peu de crème pour adoucir, et des pommes de terre au laurier.*

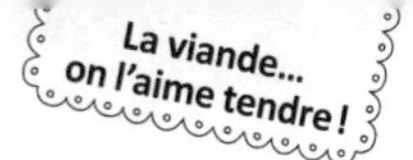
La viande...
on l'aime tendre !

FILETS DE DINDE À LA SAUCE VIERGE

Préparation : 10 min – Cuisson : 15 min

2 filets de dinde • 1 branche de thym • 1 tomate • 1 gousse d'ail • 2 branches de basilic • 2 branches de persil plat • 2 branches d'estragon • 4 cuil. à soupe d'huile d'olive • 1 citron • sel, poivre

Réalisation

Effeuillez le thym sur les filets de dinde. Faites-les cuire au four à 210 °C (th. 7) ou à la vapeur pendant 15 minutes. Pendant ce temps, préparez la sauce : pelez et épépinez la tomate, coupez la chair en petits dés. Pressez le citron. Épluchez l'ail, écrasez-le au presse-ail. Ciselez le basilic, le persil et l'estragon. Mélangez bien dans un grand bol l'ail, les herbes, le jus de citron, les dés de tomate, l'huile d'olive. Salez et poivrez. Déposez un filet de dinde sur chaque assiette, arrosez-le de sauce.

Coup de cœur : *accompagnez ce plat léger et parfumé de légumes à la vapeur : carottes, brocolis, haricots verts...*

FILETS DE POULET FARCIS

Préparation : 15 min – Cuisson : 25 min

2 filets de poulet épais de 150 g chacun • 100 g de champignons • 2 oignons • 1 tranche de jambon cru de 100 g • 2 branches de persil • 1 cuil. à soupe de baies roses • 50 g de beurre • sel, poivre

Réalisation

Coupez les filets de poulet en deux dans leur épaisseur sans les séparer pour former un chausson. Lavez et essuyez les champignons. Épluchez les oignons. Hachez les champignons et les oignons avec le jambon et le persil, ajoutez ensuite les baies roses, du sel et du poivre. Farcissez les filets de poulet avec ce hachis. Faites fondre le beurre dans une poêle, faites dorer les filets de poulet sur les deux faces, puis laissez cuire à petit feu pendant 20 minutes. Servez bien chaud.

Coup de cœur : *accompagnez ces filets de poulet de tagliatelles sauce au citron.*

FILET MIGNON DE PORC AU CARAMEL

Préparation : 10 min – Cuisson : 1 h 10

1 petit filet mignon de porc • 2 cuil. à soupe de cassonade • 2 cuil. à soupe de nuoc-mâm • 2 pincées de cannelle • ½ cuil. à soupe de poivre de Sichuan • sel

Réalisation

Versez la cassonade, le nuoc-mâm, la cannelle et le poivre dans une cocotte, arrosez de 25 cl d'eau et portez à ébullition en mélangeant. Déposez le filet mignon dans cette sauce, salez, retournez-le pour qu'il en soit imprégné. Couvrez et laissez cuire pendant 1 heure. Retirez la viande, coupez-la en tranches. Déposez-la sur le plat de service et nappez de sauce.

Coup de cœur : *la sauce doit être sirupeuse ; si elle est trop liquide, faites-la bouillir pendant quelques minutes.*

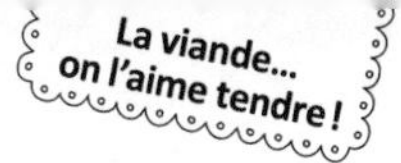
La viande...
on l'aime tendre !

FILET MIGNON DE PORC AU PISTOU

Préparation : 10 min – Cuisson : 45 min

1 filet mignon • 3 cuil. à soupe de basilic ciselé • 1 cuil. à soupe d'ail émincé • 1 cuil. à soupe de pignons • 2 petites cuil. à soupe de parmesan • 4 cuil. à soupe d'huile d'olive • sel, poivre

Réalisation

Préparez le pistou : mixez le basilic, l'ail, les pignons, le parmesan, du sel, du poivre avec trois cuillerées à soupe d'huile d'olive. Réservez. Préchauffez le four à 210 °C (th. 7). Mettez le filet mignon dans un plat à four, arrosez-le avec le reste d'huile d'olive, salez, poivrez. Faites cuire au four pendant 45 minutes. Découpez le filet en tranches, tartinez-les de pistou et servez immédiatement.

Coup de cœur : *accompagnez ce plat de pâtes fraîches.*

FILET MIGNON DE PORC MARINÉ AUX ÉPICES

Préparation : 10 min – Marinade : 2 h – Cuisson : 40 min

350 ou 400 g de filet mignon de porc

Marinade : 2 cuil. à soupe de ketchup • 1 cuil. à soupe de miel • 1 cuil. à soupe de Worcestershire sauce

Réalisation

Versez le miel dans une terrine, ajoutez le ketchup et la Worcestershire sauce, mélangez bien. Mettez le filet mignon dans la marinade, retournez-le plusieurs fois pour bien l'imprégner, couvrez la terrine d'un film alimentaire et laissez en attente pendant 2 heures. Égouttez la viande et faites-la griller pendant environ 40 minutes en la retournant souvent et en la badigeonnant de marinade.

FOIE DE VEAU, CARAMEL AU CITRON

Préparation : 5 min – Cuisson : 15 min

2 tranches de foie de veau • 1 oignon • 4 cl de vin blanc sec • 1 cuil. à soupe de poivre concassé • 1 cuil. à soupe de miel liquide • 15 g de beurre • ¼ de citron • sel

Réalisation

Pelez et hachez l'oignon. Coupez les tranches de foie en lanières. Pressez le quartier de citron. Faites chauffer le beurre dans une grande poêle, faites revenir les oignons pendant 3 minutes, puis ajoutez les lanières de foie et poursuivez la cuisson pendant 5 à 8 minutes. Retirez le foie et les oignons. Versez le vin blanc, laissez-le réduire pendant 1 minute, puis ajoutez le miel et le poivre, mélangez pour obtenir un caramel blond, arrosez de jus de citron. Remettez le foie et les oignons, salez, mélangez avec la sauce, laissez réchauffer 1 minute et servez aussitôt.

***Coup de cœur :** accompagnez de purée de pommes de terre ou de pâtes fraîches.*

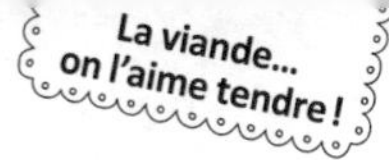
La viande...
on l'aime tendre !

FOIE GRAS POÊLÉ AUX LENTILLES

Préparation : 2 min – Congélation : 15 min – Cuisson : 5 min

1 boîte de lentilles à la graisse d'oie • 2 belles tranches de foie gras d'oie ou de canard crue • 2 branches de persil • fleur de sel, poivre du moulin

Réalisation

Faites réchauffer les lentilles avec leur jus. Ciselez le persil. Faites chauffer à feu très vif une poêle à revêtement antiadhésif. Dès que la poêle est brûlante, posez les tranches de foie gras, laissez cuire 30 secondes, retournez-les délicatement, faites cuire sur l'autre face pendant 30 secondes également. Versez les lentilles dans deux assiettes, déposez dessus le foie gras, parsemez de fleur de sel et d'un peu de poivre du moulin, ajoutez quelques feuilles de persil. Dégustez tout de suite.

Coup de cœur : *pour que le foie gras ne rende pas trop de graisse à la cuisson, placez-le au congélateur environ 15 minutes avant de le cuisiner.*

FONDUE BOURGUIGNONNE

Préparation : 5 min – Cuisson : 5 min + 1 min/bouchée

400 g de rumsteck • 50 cl d'huile à fondue

Réalisation

Coupez la viande en cubes, répartissez-la dans deux raviers. Versez l'huile dans un caquelon à fondue bourguignonne, faites-la chauffer avant de l'apporter sur la table. Chacun plonge un morceau de viande piqué sur une fourchette à fondue dans le caquelon, de 30 secondes à 1 minute selon le degré de cuisson désiré.

Coup de cœur : *cette fondue se sert accompagnée de plusieurs sortes de sauces disponibles dans le commerce (bourguignonne, tartare, au poivre, mayonnaise,...).*

FRICASSÉE DE POULET AUX MORILLES

Préparation : 10 min – Cuisson : 50 min

½ poulet fermier coupé en morceaux • 40 g de beurre • 35 g de morilles séchées • 10 cl de crème fleurette • ½ cube de bouillon de volaille • sel, poivre

Réalisation

Mettez les morilles séchées dans un petit saladier, recouvrez-les d'eau chaude et laissez-les se réhydrater pendant 15 minutes. Pressez les morilles au-dessus du saladier et laissez-les en attente en réservant l'eau de macération. Faites fondre 30 g de beurre dans une cocotte, faites dorer les morceaux de poulet de toutes parts, salez et poivrez. Reconstituez le bouillon de volaille, puis versez-le dans la cocotte. Couvrez et laissez cuire à petit feu pendant 45 minutes. Versez le jus de macération des morilles dans une casserole, faites-le réduire de moitié puis ajoutez la crème. Faites réduire encore un peu. Poêlez les morilles dans le reste de beurre. Mettez-les dans la cocotte, arrosez de crème, vérifiez l'assaisonnement. Versez dans le plat de service et servez très chaud.

Coup de cœur : *accompagnez ce plat de tagliatelles fraîches.*

GOUJONNETTES DE POULET BEURRE DE BASILIC

Préparation : 10 min – Cuisson : 25 min

400 g de blanc de poulet • 1 œuf • 1 cuil. à soupe de farine • 2 cuil. à soupe de chapelure • 50 g de beurre • 1 cuil. à soupe d'huile • 2 branches de basilic • ¼ de citron • sel, poivre

Réalisation

Sortez le beurre à l'avance du réfrigérateur pour qu'il soit facile à travailler. Découpez le blanc de poulet en morceaux de la taille d'une bouchée. Battez l'œuf en omelette dans un bol, salez, poivrez, versez la farine dans un autre bol et enfin la chapelure dans un troisième. Trempez les bouchées de poulet successivement dans la farine, dans l'œuf et dans la chapelure, déposez-les sur une assiette et mettez-les au frais. Pressez le quartier de citron, mettez le jus dans un bol, ajoutez 40 g de beurre. Rincez et épongez les feuilles de basilic, ciselez-les très finement, ajoutez-les au beurre, salez, poivrez et mélangez à la fourchette pour obtenir un mélange homogène. Mettez le beurre dans un ramequin et placez au réfrigérateur.

Faites fondre le beurre restant dans une poêle et faites dorer les blancs de poulet à feu moyen en les retournant souvent jusqu'à ce qu'ils soient bien dorés. Poursuivez la cuisson environ 20 minutes en surveillant pour que la chapelure ne brûle pas. Servez bien chaud avec le beurre au basilic.

GRENADINS DE VEAU AUX CÈPES

Préparation : 15 min – Cuisson : 40 min

2 grenadins de veau de 180 g chacun • 1 échalote • 1 tomate • 1 gousse d'ail • 50 g de cèpes séchés • 50 g de lardons fumés • 4 cl de vin blanc sec • 15 cl de fond de veau • 1 cuil. à soupe d'huile d'olive • ½ bouquet garni • sel, poivre

Réalisation

Mettez les cèpes séchés dans un bol d'eau chaude. Pelez et épépinez la tomate, coupez-la en dés. Pelez et hachez l'ail et l'échalote. Faites chauffer une demi-cuillerée à soupe d'huile dans une poêle, mettez les lardons, le hachis et les dés de tomate. Mélangez, salez, poivrez et laissez cuire pendant 2 minutes. Ajoutez les cèpes bien essorés en les pressant entre vos mains. Mouillez avec le vin blanc et le fond de veau, ajoutez le bouquet garni, couvrez et laissez cuire pendant 15 minutes. Versez le reste d'huile dans une poêle, faites dorer les grenadins sur leurs deux faces pendant 5 minutes à feu vif, puis baissez le feu et prolongez la cuisson pendant 10 minutes. Retirez le bouquet garni de la sauce, faites-la réduire à feu vif si elle est trop liquide. Disposez les grenadins sur le plat de service et arrosez de sauce.

Coup de cœur : *servez avec des pâtes fraîches.*

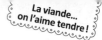

GRENADINS GRATINÉS

Préparation : 10 min – Cuisson : 20 min

2 beaux grenadins de veau • 2 oignons • 5 cl de vin blanc sec • 40 g de fromage râpé • 20 g de beurre • 2 cuil. à soupe de chapelure • sel, poivre

Réalisation

Épluchez les oignons, émincez-les. Faites fondre la moitié du beurre dans une poêle, faites revenir les oignons jusqu'à ce qu'ils soient transparents, puis retirez-les. Mettez les grenadins, saisissez-les à feu vif, arrosez de vin blanc puis laissez cuire à feu doux pendant 10 minutes en les retournant à mi-cuisson. Salez, poivrez. Préchauffez le four à 210 °C (th. 7). Mélangez dans un bol la chapelure et le fromage râpé. Mettez les grenadins dans un plat à gratin, entourez-les d'oignons, arrosez du jus de cuisson. Répartissez sur les grenadins le mélange chapelure fromage, disposez dessus une noisette de beurre et enfournez. Laissez gratiner environ 10 minutes.

GRILLADES DE GIGOT D'AGNEAU À LA FLEUR DE THYM

Préparation : 5 min – Cuisson : 5 min

2 tranches d'agneau dans le gigot • 1 cuil. à soupe de thym effeuillé • sel, poivre

Réalisation

Mélangez dans une assiette creuse le thym, du sel et du poivre. Faites chauffer une poêle. Passez les tranches de gigot dans les herbes et faites-les cuire à feu vif pendant 5 minutes en les retournant à mi-cuisson. Déposez sur les assiettes et servez immédiatement.

Coup de cœur : *accompagnez de tomates poêlées et/ou de flageolets verts.*

HACHIS DE BŒUF PIMENTÉ AU BASILIC

Préparation : 5 min – Cuisson : 5 min

300 g de bœuf haché • ½ piment oiseau • 2 petites cuil. à soupe d'huile de tournesol • 2 branches de basilic • 6 feuilles de laitue • sel, poivre

Réalisation

Ciselez les feuilles de laitue, répartissez-les dans deux bols. Ciselez les feuilles de basilic. Faites chauffer l'huile dans une sauteuse ou un wok, ajoutez la viande hachée, émiettez le piment oiseau et poursuivez la cuisson sans cesser de mélanger pendant 3 minutes. Salez, poivrez, ajoutez le basilic ciselé. Poursuivez la cuisson 2 minutes et disposez dans les bols.

JAMBON AU POIVRE

Préparation : 5 min – Cuisson : 5 min

2 tranches de jambon à l'os • 10 cl de crème fraîche • 10 g de beurre • 2 cuil. à soupe de poivre concassé • sel

Réalisation

Mélangez le poivre et la crème avec un peu de sel. Faites fondre le beurre dans une poêle, faites dorer légèrement les tranches de jambon pendant 3 minutes, puis versez la crème

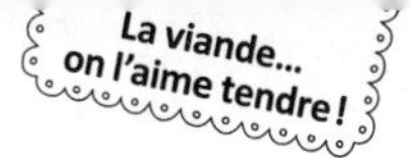

assaisonnée. Prolongez la cuisson pendant 2 minutes. Servez bien chaud.

Coup de cœur : *accompagnez d'épinards au beurre.*

JARRET DE VEAU AUX ÉPICES

Préparation : 5 min – Salage : 1 h – Cuisson : 3 h

750 de jarret de veau • 6 échalotes • 4 pincées de noix de muscade • 4 pincées de cannelle en poudre • 4 clous de girofle • 10 cl de vin blanc doux • 2 cuil. à soupe de gros sel • 1 cuil. à soupe d'huile • sel, poivre

Réalisation

Enduisez le jarret de gros sel, mettez-le dans une terrine et laissez-le en attente au frais pendant 1 heure. Préchauffez le four à 150 °C (th. 5). Épluchez les échalotes. Rincez le jarret. Versez l'huile dans une cocotte allant au four, déposez le jarret, ajoutez les échalotes, les épices et le vin blanc doux. Couvrez la cocotte, mettez-la au four et laissez cuire pendant 3 heures. Découpez le jarret, servez-le entouré d'échalotes.

JARRET DE VEAU AUX PETITS LÉGUMES

Préparation : 20 min – Cuisson : 1 h

1 jarret de veau • ½ oignon • 1 gousse d'ail • ½ tomate• 150 g de carottes • 150 g de navets • 150 g de pois gourmands • 150 g de haricots verts • 150 g de courgettes • 10 cl de vin blanc • 1 cuil. à soupe de fond de veau • ½ bouquet garni • 25 g de beurre • 2 petites cuil. à soupe d'huile d'olive • sel, poivre

Réalisation

Épluchez l'oignon et la gousse d'ail, hachez-la. Pelez la demi-tomate après l'avoir plongée dans une casserole d'eau bouillante, enlevez les graines avec une petite cuillère et coupez la chair en morceaux. Faites fondre le beurre avec l'huile dans une cocotte, mettez le jarret. Faites-le dorer pendant 5 minutes en le retournant régulièrement, puis ajoutez le hachis d'ail et d'oignon et les morceaux de tomate. Salez, poivrez, arrosez de vin blanc, saupoudrez de fond de veau et versez 15 cl d'eau chaude. Ajoutez le bouquet garni. Couvrez la cocotte et laissez cuire à feu doux pendant 45 minutes. Pelez les carottes, coupez-les en rondelles. Lavez et essuyez les courgettes, coupez-les en rondelles également. Effilez les pois gourmands et les haricots verts. Découvrez la cocotte, ajoutez les carottes, couvrez et poursuivez la cuisson pendant 10 minutes, puis enfin ajoutez tous les autres légumes et laissez cuire encore pendant 20 minutes. Découpez le jarret en deux, déposez-les sur un plat creux, entourez-les de légumes et nappez de sauce après avoir enlevé le bouquet garni.

KEFTAS D'AGNEAU AUX HERBES ET AUX ÉPICES

Préparation : 10 min – Attente : 1 h – Cuisson : 15 min

300 g d'épaule d'agneau • 1 petit oignon blanc • 1 gousse d'ail • quelques brins de coriandre • quelques brins de persil • ¼ de cuil. à café de cumin en poudre • ¼ de cuil. à café de gingembre en poudre • ¼ de cuil. à café de cannelle en poudre • sel, poivre

Réalisation

Épluchez l'oignon et l'ail. Hachez-les avec l'agneau et les herbes. Mettez-les dans une jatte, ajoutez les épices et mélangez bien. Formez des boulettes de la taille d'une noix et enfilez-les sur une pique en bois. Mettez-les au réfrigérateur au moins 1 heure avant de les faire cuire afin qu'elles ne se défassent pas à la cuisson. Faites cuire au barbecue environ 15 minutes en les retournant délicatement. Servez avec des rondelles de citron.

Coup de cœur : *accompagnez de caviar d'aubergines ou de salade de pois chiches au citron.*

LAMELLES DE PORC À L'ANANAS

Préparation : 10 min – Cuisson : 10 min

300 g de filet de porc • ½ boîte d'ananas en morceaux au sirop • 1 cuil. à soupe de gingembre moulu • 1½ cuil. à soupe de sauce de soja • 2 pincées de piment en poudre • ½ cuil. à soupe de miel • 1 cuil. à soupe d'huile d'arachide

Réalisation

Coupez la viande en fines lamelles. Égouttez les morceaux d'ananas en conservant le sirop. Mélangez dans un bol le miel avec le gingembre, le piment, la sauce de soja et deux cuillerées à soupe du sirop d'ananas. Faites chauffer l'huile dans une sauteuse, faites revenir les lamelles de porc à feu moyen en les retournant régulièrement pendant 5 minutes, puis versez la sauce, ajoutez les morceaux d'ananas, mélangez, couvrez et laissez cuire encore 5 minutes à feu doux.

LAPIN PAQUET

Préparation : 5 min – Cuisson : 20 min

2 gros râbles de lapin (ou 4 petits) • 4 tranches fines de lard fumé • 1 cuil. à café de thym • 2 cuil. à soupe d'huile d'olive • poivre

Réalisation

Préchauffez le four à 180 °C (th. 6). Entourez chaque râble de lapin de deux tranches fines de lard fumé. Saupoudrez de thym et poivrez. Déposez les râbles dans un plat à four, arrosez-les d'huile et faites-les cuire pendant 20 minutes. Servez sans attendre.

Coup de cœur : *servez ce plat avec des tomates cuites à la poêle et des chips.*

MAGRET DE CANARD À L'ORANGE

Préparation : 10 min – Cuisson : 20 min

1 beau magret de canard • 1 orange non traitée • ½ cuil. à soupe de sucre • 25 g de beurre • ½ cuil. à café de farine • sel, poivre

Réalisation

Prélevez le zeste de l'orange avec un couteau économe, coupez-le en petits bâtonnets. Mettez-les dans une casserole, recouvrez-les d'eau et faites-les cuire pendant 10 minutes. Égouttez-les. Pressez les fruits. Faites chauffer une poêle à revêtement antiadhésif. Mettez le magret côté peau sur la poêle et faites dorer à feu vif. Baissez le feu dès que la peau du magret commence à rendre de la graisse. Retournez-le et laissez cuire pendant 10 minutes environ, selon le degré de cuisson désiré et l'épaisseur du magret. Mélangez le beurre avec la farine. Retirez le magret, découpez-le en tranches dans son épaisseur. Jetez la graisse de la poêle, versez le jus d'orange et ajoutez le sucre, un peu de sel et de poivre. Faites réduire à feu vif en grattant le fond de la poêle avec une cuillère en bois, puis ajoutez le beurre par petites parcelles en poursuivant la cuisson et en mélangeant. Remettez le magret dans la poêle pour le réchauffer pendant 1 minute. Versez dans le plat de service. Servez bien chaud.

MAGRETS DE CANARD AUX POMMES DORÉES

Préparation : 15 min – Cuisson : 25 min

2 petits magrets de canard • 2 belles pommes rouges • 2 cuil. à café de cannelle en poudre • 2 cuil. à café de sucre • 40 g de beurre • 4 cuil. à soupe de vinaigre de vin • fleur de sel, poivre concassé

Réalisation

Épluchez les pommes et coupez-les en lamelles. Faites fondre le beurre dans une sauteuse, faites dorer les lamelles de pomme en les retournant délicatement. Saupoudrez de sucre et de cannelle et faites caraméliser à feu doux. Faites des entailles dans la peau des magrets avec la lame d'un couteau. Faites chauffer une poêle sans matière grasse, déposez les magrets côté peau sur la surface de cuisson et laissez cuire à feu vif pendant 10 minutes. Retournez le canard, baissez le feu et poursuivez la cuisson pendant 5 minutes. Jetez la graisse de cuisson et déglacez la poêle avec le vinaigre. Donnez un bouillon. Découpez les magrets en tranches, répartissez-les sur deux assiettes, saupoudrez de fleur de sel et de poivre concassé. Mettez les pommes et nappez de sauce. Dégustez sans attendre.

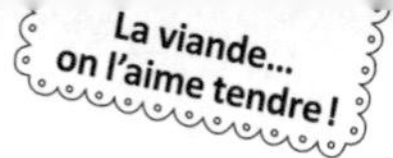
La viande...
on l'aime tendre !

MAGRET DE CANARD RÔTI AU MIEL

Préparation : 5 min – Cuisson : 30 min

1 magret de canard de 350 g • 1½ cuil. à soupe de miel liquide • 2 cuil. à soupe de vinaigre de framboise • sel, poivre

Réalisation

Entaillez la peau du magret en croisillons, puis faites-le cuire à feu doux en commençant par le côté peau ; au bout de 10 minutes, retournez-le et poursuivez la cuisson pendant 10 minutes. Retirez le magret, jetez la graisse de cuisson. Versez dans la poêle le miel et le vinaigre, grattez à la fourchette pour détacher les sucs de cuisson et donnez un bouillon. Découpez le magret en tranches, remettez-les dans la sauce pendant 2 minutes, salez, poivrez, puis versez sur un plat de service.

Coup de cœur : *accompagnez de confiture d'oignons, de raisins et de navets braisés.*

MAGRET DE CANARD AU VINAIGRE DE FRAMBOISE

Préparation : 5 min – Cuisson : 14 min

1 magret de canard • 1½ cuil. à soupe de gelée de framboise • 2 cuil. à soupe de vinaigre de vin • sel, poivre

Réalisation

Faites des entailles dans la peau du magret avec un couteau bien aiguisé. Faites chauffer une poêle, déposez le magret côté peau et laissez-le cuire à feu moyen pendant 10 minutes. Jetez le gras rendu par la peau, retournez le magret et laissez-le cuire sur l'autre face pendant 5 à 10 minutes. Retirez le magret, placez-le sur une assiette. Mettez la gelée dans la poêle, laissez-la fondre, puis arrosez de vinaigre et mélangez. Coupez le magret en lamelles épaisses, remettez-les dans la sauce. Servez immédiatement.

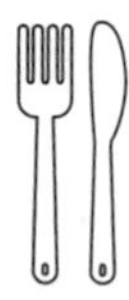

MINI TAJINES D'AGNEAU AUX PRUNEAUX ET AUX AMANDES

Préparation : 10 min – Cuisson : 1 h 15

400 g d'épaule d'agneau • 8 gros pruneaux dénoyautés • 1 oignon • 30 cl de bouillon de volaille • 4 cuil. à soupe d'huile d'olive • 1 cuil. à soupe de ras-el-hanout • 150 g d'amandes effilées • sel, poivre

Réalisation

Pelez et émincez l'oignon. Coupez l'épaule en cubes. Faites chauffer l'huile dans une cocotte, mettez l'oignon et la viande, faites roussir à feu vif en mélangeant pendant 5 minutes, ajoutez le ras-el-hanout, un peu de sel et de poivre, mouillez avec le bouillon, portez à ébullition, puis baissez le feu, couvrez et laissez cuire pendant 1 heure. Ajoutez les pruneaux, prolongez la cuisson de quelques minutes. Faites griller les amandes à sec dans une poêle à revêtement antiadhésif. Répartissez la viande, les pruneaux et la sauce dans deux mini plats à tajine préchauffés, parsemez d'amandes et servez immédiatement.

Coup de cœur : *accompagnez ce plat de semoule à la vapeur.*

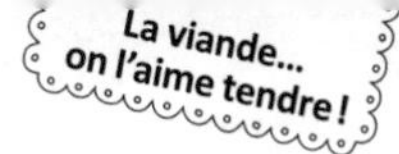
La viande...
on l'aime tendre !

MINI TAJINES DE POULET AU CITRON CONFIT, COURGETTES ET POMMES DE TERRE

Préparation : 10 min – Cuisson : 45 min

2 découpes de poulet • ½ citron confit • 2 petites courgettes • 2 pommes de terre • 2 oignons • 1 gousse d'ail • 6 olives vertes dénoyautées • ½ bouquet de coriandre • 2 cuil. à soupe d'huile d'olive • ½ cuil. à soupe de cumin en poudre • sel, poivre

Réalisation

Épluchez l'ail et les oignons, hachez-les grossièrement. Pelez les pommes de terre, lavez-les, essuyez-les et coupez-les en cubes. Lavez et essuyez les courgettes, coupez-les en rondelles. Détaillez le demi-citron confit en petits dés. Faites chauffer l'huile dans une cocotte, faites dorer les oignons et l'ail pendant 5 minutes en remuant souvent, puis ajoutez les morceaux de poulet, salez, poivrez, saupoudrez d'un peu de cumin. Ajoutez le citron confit, les courgettes, les pommes de terre et les olives, arrosez avec 10 cl d'eau chaude, couvrez et laissez cuire pendant 40 minutes. Répartissez le poulet et les légumes dans deux mini plats à tajine préchauffés, arrosez de sauce. Parsemez de feuilles de coriandre ciselées. Servez bien chaud.

MIXED GRIL

Préparation : 10 min – Infusion : 2 h – Cuisson : 25 min

2 côtes d'agneau • 2 rognons d'agneau • 2 chipolatas • 2 tranches de lard frais • 2 tranches de bacon • 2 têtes de gros champignons de Paris • 1 grosse tomate • 3 cuil. à soupe d'huile d'olive • 1 cuil. à soupe de thym effeuillé

Réalisation

Versez l'huile dans un bol, ajoutez le thym et laissez infuser au moins 2 heures. Ouvrez les rognons en deux, piquez les chipolatas de quelques coups de fourchette. Lavez et essuyez les têtes des champignons, coupez la tomate en deux. Badigeonnez les viandes et les légumes d'huile parfumée. Mettez d'abord à cuire la tomate, les champignons et les chipolatas au centre du barbecue, retournez-les au bout de 5 minutes, continuez la cuisson 5 minutes, puis placez-les sur les bords du barbecue ; mettez ensuite au centre les côtes d'agneau, puis les rognons et les tranches de lard frais, retournez-les au bout de 5 minutes et poursuivez la cuisson. Terminez par le bacon qui cuit en 5 minutes.

Coup de cœur : *servez avec des chips et un beurre d'herbes.*

NAVARIN D'AGNEAU

Préparation : 15 min – Cuisson : 1 h 30

500 g d'épaule d'agneau coupée en morceaux • ½ botte de navets nouveaux • ½ botte de carottes nouvelles • ½ botte d'oignons nouveaux • 500 g de pommes de terre nouvelles • ½ gousse d'ail • 40 cl de bouillon de bœuf • ½ cuil. à soupe de farine • 2 cuil. à soupe d'huile • 1 cuil. à soupe de concentré de tomates • 1 petit bouquet garni • sel, poivre

Réalisation

Épluchez l'ail. Pelez les navets, les carottes, les oignons et les pommes de terre. Faites chauffer l'huile dans une cocotte, faites dorer les morceaux d'agneau sur toutes leurs faces, puis saupoudrez de farine, salez légèrement, poivrez, arrosez de bouillon, ajoutez le concentré de tomates, l'ail et le bouquet garni. Mélangez bien. Laissez cuire 50 minutes à feu doux, puis ajoutez les légumes. Prolongez la cuisson pendant 30 minutes. Vérifiez l'assaisonnement et versez dans le plat de service.

OISEAUX SANS TÊTE

Préparation : 10 min – Cuisson : 50 min

2 escalopes de veau larges et fines • 50 g de champignons • 1 oignon • 50 g de lard fumé • 2 branches de persil • 2 petites tranches de pain • 30 g de beurre • 1 cuil. à soupe de lait • 5 cl de vin blanc sec • sel, poivre

Réalisation

Prélevez la mie du pain, mettez-la dans un bol avec le lait préalablement chauffé. Épluchez l'oignon et hachez-le. Lavez et essuyez les champignons, hachez-les également avec le lard et les feuilles de persil. Essorez la mie de pain, ajoutez-la au hachis, salez, poivrez, mélangez bien. Partagez le hachis en deux parts égales. Étalez les escalopes sur un plan de travail, disposez au centre un peu de farce, roulez les escalopes, de façon à enfermer la farce, et ficelez-les. Faites fondre le beurre dans une cocotte, faites dorer les oiseaux sans tête sur toutes leurs faces, arrosez de vin blanc et couvrez. Laissez cuire à feu très doux pendant 45 minutes. Servez bien chaud.

Coup de cœur : *accompagnez ce plat d'une jardinière de légumes.*

OSSO BUCO MILANESE

Préparation : 10 min – Cuisson : 40 min

2 tranches de jarret de veau • 10 cl de vin blanc sec • 1 petite brique de coulis de tomates au naturel • 1 cuil. à soupe d'huile d'olive • 20 g de beurre • 1 cuil. à soupe de farine • ½ citron non traité • ½ orange non traitée • ½ bouquet de persil • sel, poivre

Réalisation

Farinez légèrement les tranches de jarret. Faites chauffer l'huile et le beurre dans une cocotte, faites dorer les tranches de jarret sur les deux faces, salez, poivrez, puis arrosez de vin blanc et de coulis de tomates. Couvrez et laissez mijoter 30 minutes. Prélevez le zeste du demi-citron et de la demi-orange, hachez-les avec le persil. Pressez les deux fruits et versez leur jus dans la cocotte. Laissez cuire encore 10 minutes. Disposez les tranches de jarret sur un plat, nappez de sauce et parsemez de hachis. Servez très chaud.

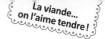

Coup de cœur : *accompagnez ce plat d'un riz blanc ou de pâtes fraîches.*

PAPILLOTES DE POULET AU BACON ET AUX CHAMPIGNONS

Préparation : 20 min – Cuisson : 40 min

2 blancs de poulet • 6 fines tranches de bacon • 125 g de champignons de Paris • 10 cl de crème fraîche épaisse • 12 g de beurre • quelques brins de ciboulette • sel, poivre

Réalisation

Lavez, essuyez, émincez les champignons. Faites fondre le beurre, ajoutez les champignons et faites-les revenir à feu doux jusqu'à évaporation totale de leur eau. Salez, poivrez. Préchauffez le four à 210 °C (th. 7). Découpez deux carrés de papier d'aluminium. Déposez sur chaque carré trois tranches de bacon, un blanc de poulet, quelques champignons et refermez les papillotes. Faites cuire pendant 25 minutes. Pendant ce temps, faites chauffer la crème, ajoutez un peu de sel, de poivre et la ciboulette ciselée. Déposez une papillote dans chaque assiette et servez la sauce en saucière.

Coup de cœur : *accompagnez ce plat de pâtes fraîches.*

PAUPIETTES DE VEAU AUX PRUNEAUX

Préparation : 15 min – Cuisson : 30 min

2 escalopes de veau • 2 fines tranches de bacon • 2 tranches d'emmental • 2 gros pruneaux dénoyautés • 40 g de beurre • sel, poivre

Réalisation

Salez et poivrez les escalopes. Déposez sur chacune d'elles une tranche de fromage, une tranche de bacon et un pruneau. Roulez les escalopes sur elles-mêmes et ficelez-les. Faites fondre le beurre dans une cocotte, faites dorer les paupiettes et versez une cuillerée à soupe d'eau. Couvrez et laissez cuire pendant 25 minutes à feu doux.

PAVÉS AU POIVRE VERT

Préparation : 10 min – Cuisson : 8 min

2 pavés dans le rumsteck • 20 g de beurre • 1 cuil. à soupe de poivre vert • 1 cuil. à soupe de cognac • 2 cuil. à soupe de crème fraîche • sel

Réalisation

Faites chauffer le beurre dans une poêle et faites dorer les pavés 3 à 4 minutes de chaque côté. Retirez les pavés et gardez-les au chaud. Déglacez la poêle avec le cognac, flambez, ajoutez le poivre égoutté et la crème. Salez et faites bouillir 1 minute. Posez les pavés sur les assiettes et nappez de sauce.

Coup de cœur : *servez ces pavés avec des légumes vapeur, ou version moins « light », des frites cuites au four.*

La viande...
on l'aime tendre !

PAVÉS DE BŒUF GRILLÉS AU THYM

Préparation : 10 min – Cuisson : 8 à 10 min

2 pavés de bœuf de 150 g environ chacun • 1 gousse d'ail • 2 cuil. à soupe de chapelure • 1 cuil. à café de thym • 1 cuil. à soupe d'huile d'olive • sel, poivre

Réalisation

Épluchez la gousse d'ail et écrasez-la au presse-ail en recueillant la pulpe dans une assiette creuse. Ajoutez l'huile, la chapelure, le thym, un peu de sel et de poivre et mélangez pour obtenir une pâte. Roulez les pavés dans cette pâte en appuyant avec les doigts pour la faire adhérer. Faites cuire les pavés au barbecue de 8 à 10 minutes selon le degré de cuisson désiré en les retournant régulièrement.

Coup de cœur : *servez avec une sauce à l'oignon.*

PETITS FARCIS

Préparation : 15 min – Cuisson : 45 min

1 courgette • 2 belles tomates • 1 poivron vert • 200 g de steak haché • 200 g de chair à saucisses • 1 œuf • 1 oignon • 1 gousse d'ail • 60 g de parmesan • 4 cuil. à soupe d'huile d'olive • 1 cuil. à soupe de persil ciselé • 1 pincée de thym • 3 pincées de noix de muscade • sel, poivre

Réalisation

Lavez la courgette, le poivron et les tomates. Coupez le poivron en deux dans le sens de la hauteur, épépinez-le. Coupez un chapeau à chaque tomate au tiers de leur hauteur, évidez-les avec une petite cuillère. Placez la pulpe dans un saladier.

Coupez la courgette en deux dans le sens de la longueur, retirez la chair, mettez-la dans le saladier. Épluchez et hachez l'ail et l'oignon, ajoutez-les au saladier ainsi que la viande hachée, la chair à saucisse, l'œuf, le parmesan râpé, le thym, du sel, du poivre, la muscade et le persil. Mélangez bien et rectifiez l'assaisonnement si nécessaire. Préchauffez le four à 180 °C (th. 6). Remplissez les tomates, les moitiés de poivron et de courgette avec la farce, déposez-les dans un plat à four et arrosez-les d'huile d'olive. Enfournez et laissez cuire 45 minutes. Ajoutez un peu d'eau si les légumes attachent. Servez très chaud.

PETITS PILONS DE POULET AU MIEL

Préparation : 5 min – Cuisson : 15 min

6 à 8 petits pilons de poulet • 1½ cuil. à soupe de miel • 2 cuil. à soupe de vinaigre balsamique • ½ cuil. à soupe de paprika • 1½ cuil. à soupe d'huile de tournesol • sel, poivre

Réalisation

Faites chauffer l'huile dans une sauteuse, faites revenir les pilons en les retournant pour qu'ils soient dorés de tous côtés, salez, poivrez et laissez cuire pendant 10 minutes. Délayez le miel dans le vinaigre, ajoutez le paprika, du sel et du poivre. Versez dans la sauteuse, mélangez pour que les pilons soient bien enrobés, laissez caraméliser pendant 5 minutes. Servez bien chaud.

PILONS DE POULET MARINÉS AU SÉSAME

Préparation : 10 min – Marinade : 1 h – Cuisson : 25 min

6 à 8 petits pilons de poulet • 1 grosse gousse d'ail • ½ citron • 2 cuil. à soupe de miel • 2 cuil. à soupe de graines de sésame • 3 cuil. à soupe d'huile d'olive • sel, poivre

Réalisation

Pelez l'ail, écrasez-le au-dessus d'un saladier. Pressez le demi-citron, versez le jus dans le saladier, ajoutez l'huile d'olive, le miel, du sel et du poivre. Mettez les pilons de poulet dans cette marinade, retournez-les plusieurs fois pour qu'ils soient bien imprégnés et laissez-les en attente pendant 1 heure. Préchauffez le four à 210 °C (th. 7). Disposez les pilons de poulet dans un plat à four, arrosez-les de marinade et enfournez. Laissez cuire pendant 25 minutes. Faites griller les graines de sésame à sec dans une poêle. Sortez le plat du four, parsemez les pilons de sésame et servez immédiatement.

PORC À L'ANANAS

Préparation : 10 min – Cuisson : 11 min

400 g de filet mignon de porc • ½ boîte d'ananas au sirop • 1 cm de gingembre frais • 1 cuil. à soupe de sauce de soja • ½ cuil. à café de vinaigre de cidre • 1 cuil. à soupe de miel liquide • 1½ cuil. à soupe d'huile d'arachide • ½ bouquet de menthe

Réalisation

Pelez et hachez le gingembre. Mettez-le dans un bol avec le vinaigre, le miel, la sauce de soja et le jus de la boîte d'ananas. Mélangez bien. Ciselez la menthe. Coupez le porc en fines lanières. Coupez les tranches d'ananas en six. Faites chauffer l'huile dans un wok ou dans une sauteuse, faites revenir les lamelles de porc pendant 10 minutes, ajoutez les morceaux d'ananas, puis le contenu du bol et la menthe ciselée. Prolongez la cuisson 1 minute, puis servez immédiatement.

PORC AU CARAMEL

Préparation : 10 min – Cuisson : 20 min

400 g de filet de porc • 4 cives • 1½ cuil. à soupe de sucre • 2 cuil. à soupe de nuoc-mâm • 1 cuil. à café de pâte de piment • ½ bouquet de coriandre

Réalisation

Coupez le porc en dés. Coupez les cives en tronçons de 2 cm. Mettez le sucre dans un wok ou dans une sauteuse, versez quelques gouttes d'eau et faites caraméliser à feu vif. Dès qu'il brunit, ajoutez le nuoc-mâm, la pâte de piment et 10 cl d'eau. Mettez les dés de porc, mélangez pour enrober la viande et laissez cuire doucement 10 à 15 minutes, jusqu'à ce que la viande soit bien cuite. Parsemez de cives et de coriandre ciselée au moment de servir.

Coup de cœur : *ajoutez un peu d'eau si la sauce s'évapore trop vite en cours de cuisson.*

PORC AU MIEL ET AUX ÉPICES

Préparation : 15 min – Cuisson : 16 min

1 petit filet mignon • 2 petites tomates • 3 cm de gingembre • 1 gousse d'ail • 1 citron vert • 30 g de beurre • 2 cuil. à soupe d'huile d'olive • 2 cuil. à soupe de miel liquide • ½ cuil. à café de curry • 1 pointe de couteau de piment • sel, poivre

Réalisation

Pressez le citron vert. Pelez et râpez le gingembre. Pelez et hachez la gousse d'ail. Détaillez les tomates en rondelles fines. Coupez le filet mignon en tranches. Faites chauffer l'huile d'olive avec le beurre dans une grande poêle, faites dorer les tranches de viande pendant 10 minutes en les retournant. Ajoutez les rondelles de tomate, le hachis, le jus de citron, le curry, le piment, salez, poivrez. Poursuivez la cuisson pendant 5 minutes. Ajoutez le miel, laissez caraméliser pendant 1 minute. Répartissez sur deux assiettes et servez bien chaud.

PORC SAUCE AIGRE-DOUCE

Préparation : 10 min – Cuisson : 17 min

400 g de filet de porc • ½ poivron rouge • ½ poivron vert • ½ poivron jaune • 1 petite branche de céleri • 1 oignon • 3 tranches d'ananas au sirop • ½ verre de bouillon de volaille • ½ cuil. à soupe de Maïzena • 3 cuil. à soupe d'huile d'arachide • 3 cuil. à soupe de sauce de soja • 1 cuil. à soupe de vinaigre de riz • 1½ cuil. à soupe de pulpe de tomate

Réalisation

Lavez les poivrons, épépinez-les et coupez-les en lanières. Coupez le céleri en rondelles, épluchez et hachez l'oignon. Coupez les tranches d'ananas en six et réservez le jus. Coupez le porc en fines lamelles. Versez une grosse cuillerée à soupe d'huile dans un wok ou dans une sauteuse, faites cuire les lamelles de porc pendant 5 minutes en les mélangeant constamment, puis retirez-les. Versez l'huile restante, faites revenir les poivrons, le céleri et l'oignon pendant 10 minutes. Mélangez dans un bol le bouillon de volaille, le sirop d'ananas, la sauce de soja, le vinaigre, la Maïzena et la pulpe de tomate. Lorsque les légumes sont cuits, remettez la viande, ajoutez les morceaux d'ananas, arrosez de sauce et laissez cuire 1 à 2 minutes pour faire épaissir la sauce. Servez aussitôt.

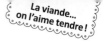

POULET À L'ANANAS

Préparation : 15 min – Cuisson : 10 min

2 blancs de poulet • 4 tranches d'ananas au sirop • 2 cuil. à soupe de gingembre en poudre • 2 cuil. à soupe d'huile d'arachide • sel, poivre

Réalisation

Coupez le poulet en dés. Détaillez les tranches d'ananas en petits morceaux. Faites chauffer l'huile dans une poêle, faites dorer les dés de poulet pendant 4 minutes, puis ajoutez les morceaux d'ananas avec leur sirop. Salez, poivrez, saupoudrez de gingembre et poursuivez la cuisson pendant quelques minutes, jusqu'à ce que la sauce commence à caraméliser.

POULET AU CITRON ET AUX OLIVES

Préparation : 15 min – Cuisson : 30 min

2 blancs de poulet • 1 citron non traité • 12 olives vertes dénoyautées • 4 pincées de piment d'Espelette • 4 pincées de thym • 2 cuil. à soupe d'huile d'olive • sel, poivre

Réalisation

Préchauffez le four à 210 °C (th. 7). Mettez les blancs de poulet dans un plat à four, salez, poivrez, saupoudrez d'un peu de thym et de piment d'Espelette. Coupez le citron en lamelles, ajoutez-les ainsi que les olives et arrosez d'un peu d'huile. Enfournez et laissez cuire pendant 30 minutes.

POULET CARAMÉLISÉ AU GINGEMBRE ET AU MIEL

Préparation : 10 min – Marinade : 4 h – Cuisson : 15 min

2 escalopes de poulet • 1 cuil. à soupe de gingembre émincé • 1 cuil. à soupe d'ail émincé • ½ citron vert • 1 cuil. à soupe de miel • 150 g de roquette • ½ cuil. à soupe de vinaigre balsamique • 3 cuil. à soupe d'huile d'olive • sel, poivre

Réalisation

Préparez une marinade : pressez le demi-citron vert, versez le jus dans un plat creux, ajoutez le gingembre, l'ail, le miel, du sel et du poivre. Mélangez bien et déposez les escalopes de poulet dans le plat. Retournez-les plusieurs fois pour qu'elles soient bien enrobées. Recouvrez le plat d'un film alimentaire et laissez reposer pendant 4 heures à température ambiante. Lavez et essorez la roquette. Préparez la sauce en mélangeant le vinaigre balsamique avec deux cuillerées à soupe d'huile, du sel et du poivre. Coupez les escalopes de poulet en dés. Faites-les revenir dans le reste d'huile d'olive dans une poêle ou dans un wok, jusqu'à ce qu'ils soient bien dorés. Répartissez-les sur deux assiettes, disposez un buisson de roquette, arrosez-le de vinaigrette.

POULET EN CAPILOTADE

Préparation : 10 min – Cuisson : 1 h 10 min

½ poulet coupé en morceaux • 2 tomates • 2 petites gousses d'ail • ½ oignon • ½ branche de céleri • ½ cuil. à soupe de concentré de tomates • ½ bouquet garni • 15 cl de vin blanc sec • 15 cl de bouillon de volaille • ½ cuil. à soupe d'huile d'olive • ½ cuil. à café de farine • sel, poivre

Réalisation

Épluchez et hachez l'ail et l'oignon. Pelez, épépinez les tomates et hachez-les également. Coupez la demi-branche de céleri en tronçons. Faites chauffer l'huile d'olive dans une cocotte, ajoutez-y l'ail et l'oignon. Laissez-les fondre pendant 3 minutes, saupoudrez de farine, ajoutez les tomates, le céleri, le concentré de tomates, le poulet, le bouquet garni, le vin blanc, le bouillon, du sel et du poivre. Mélangez et couvrez. Laissez cuire pendant 1 heure à feu doux. Servez bien chaud.

Coup de cœur : *accompagnez ce plat de pâtes fraîches.*

POULET EXPRESS AU CURRY

Préparation : 10 min – Cuisson : 30 min

2 escalopes de poulet de 150 g chacune • 1 oignon • 1 gousse d'ail • 1 briquette de lait de coco • 1 cuil. à soupe de curry en poudre • 2 cuil. à soupe d'huile d'olive • 4 branches de coriandre • sel, poivre

Réalisation

Pelez l'oignon et l'ail, hachez-les. Émincez les escalopes de poulet. Faites chauffer l'huile dans une poêle, faites dorer les lanières de poulet pendant 2 minutes en les retournant, ajoutez le hachis d'ail et d'oignon, saupoudrez de curry, salez, poivrez et arrosez de lait de coco. Mélangez, couvrez et laissez cuire pendant 25 minutes. Versez dans deux assiettes et parsemez de feuilles de coriandre ciselées.

POULET LAQUÉ

Préparation : 10 min – Marinade : 1 h – Cuisson : 1 h

2 blancs de poulet • 3 cuil. à soupe de miel liquide • 6 cuil. à soupe de sauce de soja • ½ citron

Réalisation

Mélangez dans un plat creux le miel et la sauce de soja. Enrobez les blancs de poulet en les retournant plusieurs fois et laissez mariner pendant 1 heure. Préchauffez le four à 150 °C (th. 5). Pressez le citron. Déposez la viande dans un plat à four, enfournez et faites cuire pendant 1 heure en arrosant de temps en temps avec le jus de citron.

POULET TANDOORI, RIZ BASMATI

Préparation : 5 min – Cuisson : 10 min

2 blancs de poulet • 125 g de riz basmati • ½ oignon • ½ sachet d'épices tandoori en poudre • 12 cl de crème liquide • 1 cuil. à soupe d'huile de tournesol • sel, poivre

Réalisation

Faites chauffer de l'eau dans une grande casserole. Dès l'ébullition, plongez le riz et laissez-le cuire pendant 8 à 10 minutes. Pelez et hachez l'oignon. Détaillez les blancs de poulet en lamelles. Faites chauffer l'huile dans une poêle, faites reve-

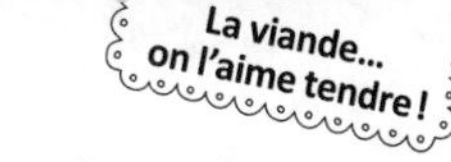
La viande...
on l'aime tendre !

nir l'oignon pendant 3 minutes, puis ajoutez le poulet. Faites cuire en mélangeant souvent pendant 5 minutes, saupoudrez d'épices et arrosez de crème. Mélangez et laissez cuire encore 3 minutes. Vérifiez l'assaisonnement, rectifiez si nécessaire. Égouttez le riz, versez-le dans un plat creux, disposez le poulet dessus. Servez chaud.

POULET VALLÉE D'AUGE

Préparation : 10 min – Cuisson : 50 min

½ poulet fermier • 2 échalotes • 2 pommes reinettes • 25 cl de cidre • 2 cl de calvados • ½ cube de bouillon de volaille • 10 cl de crème liquide • ½ cuil. à soupe d'huile • 20 g de beurre • sel, poivre

Réalisation

Épluchez et émincez les échalotes. Faites fondre le beurre avec l'huile dans une cocotte et faites dorer le poulet sur toutes ses faces. Lavez les pommes, coupez-les en quatre, ôtez le trognon, mais ne les épluchez pas. Mettez les échalotes et les pommes dans la cocotte, couvrez et faites cuire pendant 25 minutes à feu doux. Reconstituez le bouillon avec le demi-cube et 12 cl d'eau. Arrosez ensuite de cidre, de calvados et de bouillon, poursuivez la cuisson à découvert pendant 20 minutes. Retirez le poulet de la cocotte, découpez-le, disposez-le sur le plat de service, entourez-le de quartiers de pomme. Versez la crème dans la cocotte, faites réchauffer 2 minutes et versez la sauce sur le poulet. Servez bien chaud.

RÂBLES DE LAPIN À LA SAUGE

Préparation : 10 min – Cuisson : 30 min

2 râbles de lapin • 1 citron non traité • 2 cuil. à soupe de miel • 2 gousses d'ail • 2 feuilles de sauge • 4 cuil. à soupe d'huile d'olive • sel, poivre du moulin

Réalisation

Préchauffez le four à 210 °C (th. 7). Épluchez l'ail, écrasez-le au presse-ail. Prélevez le zeste du citron avec un couteau économe et râpez-le. Pressez le fruit. Délayez dans un bol le miel avec le jus du citron et l'huile, salez, poivrez, ajoutez les feuilles de sauge émiettées, le zeste râpé et l'ail. Déposez les râbles de lapin dans un plat à four, arrosez-les avec la sauce et faites cuire pendant 30 minutes.

RIBS À L'AMÉRICAINE

Préparation : 10 min – Marinade : 3 h – Cuisson : 30 min

750 g de travers de porc

Marinade : ½ gousse d'ail • 2½ cuil. à soupe de ketchup • ½ cuil. à soupe de moutarde forte • 1 cuil. à soupe de vinaigre de cidre • ½ cuil. à soupe de cassonade • ½ cuil. à soupe d'huile d'olive • sel, poivre

Réalisation

Préparez la marinade : épluchez l'ail et écrasez la pulpe au presse-ail. Mettez-la dans un plat creux. Ajoutez tous les autres ingrédients et mélangez bien. Coupez les travers en portions et mettez-les dans la marinade. Retournez-les plusieurs fois pour qu'ils soient bien enrobés. Couvrez le plat et laissez au

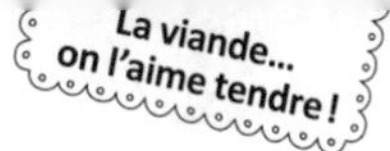
La viande...
on l'aime tendre !

frais pendant environ 3 heures. Égouttez les travers et faites-les cuire au barbecue pendant 30 minutes en les retournant régulièrement.

Coup de cœur : *servez avec des tomates, des épis de maïs grillés ou des chips.*

SALADE DE PORC À LA CITRONNELLE

Préparation : 10 min – Cuisson : 5 min

200 g de filet de porc • ½ petit concombre • 4 feuilles de scarole • 2 tiges de citronnelle • 1 cuil. à soupe de nuoc-mâm • ½ cuil. à soupe de sucre • ½ citron vert • ½ cuil. à café de pâte de piment • ½ cuil. à soupe d'huile • 1 petit bouquet de coriandre • 1 petit bouquet de menthe • 1 petit bouquet de ciboulette

Réalisation

Coupez le porc en fines lamelles. Faites chauffer l'huile dans un wok ou dans une sauteuse, faites sauter les lamelles de porc en les retournant constamment pendant 5 minutes. Retirez-les et laissez-les refroidir. Pendant ce temps, lavez le demi-concombre et coupez-le en très fines rondelles sans l'éplucher, ciselez finement les herbes et la citronnelle. Coupez les feuilles de scarole en lanières. Pressez le demi-citron vert. Mélangez dans un bol la pâte de piment, le sucre, le nuoc-mâm et le jus de citron. Répartissez dans deux bols la scarole, le concombre, les herbes, les lamelles de porc et arrosez-les de sauce.

SAUTÉ DE VEAU AU CITRON ET À LA CORIANDRE

Préparation : 15 min – Cuisson : 1 h

400 g de sauté de veau • 200 g de carottes en rondelles • 200 g de courgettes en rondelles • ½ citron non traité • ½ cuil. à soupe de miel liquide • 2 cuil. à soupe de coriandre ciselée • 1 cuil. à soupe d'huile d'olive • 1 cube de court-bouillon • sel, poivre

Réalisation

Reconstituez le bouillon en versant sur le cube 25 cl d'eau bouillante. Faites revenir la viande dans une cocotte avec l'huile. Dès qu'elle a pris couleur, mouillez avec le bouillon reconstitué, salez légèrement, poivrez. Ajoutez les légumes, couvrez et laissez cuire à feu doux pendant 1 heure. Lavez le citron, essuyez-le et coupez-le en petits dés. Ajoutez-les à la viande 10 minutes avant la fin de la cuisson. Retirez la viande et les légumes de la cocotte avec une écumoire et disposez-les sur le plat de service. Ajoutez le miel et faites réduire la sauce à feu vif. Vérifiez l'assaisonnement. Versez la sauce sur la viande. Parsemez de coriandre.

SAUTÉ DE VEAU AU POIVRON, À LA TOMATE ET AU ROMARIN

Préparation : 10 min – Cuisson : 1 h 05

400 g d'épaule de veau • ½ poivron vert • ½ poivron rouge • 2 tomates • 2 oignons • 1 branche de romarin • ½ branche de thym • 5 cl de vin blanc sec • 75 g d'olives vertes dénoyautées • 2 cuil. à soupe d'huile d'olive • sel, poivre

Réalisation

Coupez le veau en cubes. Lavez et essuyez les poivrons et les tomates, épépinez-les et coupez-les en lamelles. Pelez et émincez les oignons. Faites chauffer l'huile dans une cocotte, faites revenir les oignons et les poivrons pendant 5 minutes, ajoutez les tomates, le veau, les olives, le thym et le romarin. Salez, poivrez, arrosez de vin blanc et couvrez. Faites cuire à feu très doux pendant 1 heure. Si le liquide s'évapore trop vite, ajoutez un peu d'eau chaude.

Coup de cœur : *accompagnez de pâtes fraîches.*

SOURIS D'AGNEAU AU FENOUIL

Préparation : 15 min – Cuisson : 1 h 10

2 souris d'agneau • 2 petits bulbes de fenouil • 4 pommes de terre • 1 gousse d'ail • 2 cuil. à soupe de miel • 1 cuil. à café de fond de veau • 2 pincées de paprika • 2 pincées de cumin • 2 pincées de safran • 4 cuil. à soupe d'huile d'olive • sel, poivre

Réalisation

Pelez les pommes de terre et coupez-les en quartiers. Émincez les fenouils. Pelez la gousse d'ail. Faites chauffer l'huile dans une cocotte, faites dorer les souris d'agneau sur toutes leurs faces pendant 5 minutes, ajoutez les pommes de terre et le fenouil, salez, poivrez, saupoudrez de paprika, de cumin et de safran. Délayez le fond de veau dans 25 cl d'eau, versez dans la cocotte. Mélangez, couvrez et laissez cuire à feu doux pendant 1 heure.

STEAKS AU POIVRE

Préparation : 5 min – Cuisson : 5 min

2 steaks • 1 cuil. à soupe de poivre concassé • 3 cuil. à soupe de crème fraîche • 1 cuil. à café de Worcestershire sauce • 2 cl de cognac • 25 g de beurre • sel

Réalisation

Versez le poivre dans une assiette creuse et roulez les steaks dedans en appuyant pour le faire adhérer. Faites fondre le beurre dans une poêle, saisissez les steaks des deux côtés à feu vif et laissez cuire de 3 à 5 minutes selon le degré de cuisson désiré. Versez le cognac, flambez, puis déposez les steaks sur le plat de service chauffé préalablement. Jetez le beurre de cuisson, versez la Worcestershire sauce, puis la crème. Portez à ébullition, salez et nappez les steaks avec la sauce. Servez immédiatement.

Coup de cœur : *servez ce plat avec des frites ou des pommes sautées.*

TAJINE D'AGNEAU AU CITRON CONFIT ET AUX OLIVES

Préparation : 10 min – Cuisson : 1 h 50

400 g d'agneau dans l'épaule • 1 citron confit • 1 oignon • 1 cm de gingembre frais • 2 cuil. à soupe d'huile d'olive • ½ cuil. à soupe de miel • 50 g d'olives noires dénoyautées • ½ bouquet de coriandre • sel, poivre

Réalisation

Coupez la viande en cubes. Épluchez et hachez l'oignon. Coupez le citron confit en petits morceaux. Pelez le gingembre, coupez-le en lamelles avec un couteau économe. Versez l'huile d'olive dans une cocotte, faites dorer les morceaux d'agneau en mélangeant pendant 5 minutes, puis ajoutez les oignons, le gingembre, du sel et du poivre. Couvrez et laissez cuire pendant 1 heure 30 minutes. Ajoutez enfin le miel, les olives et les dés de citron confit, couvrez et prolongez la cuisson pendant 15 minutes. Versez dans un plat de service et saupoudrez de coriandre ciselée. Servez bien chaud.

Coup de cœur : *accompagnez ce tajine de semoule agrémentée de raisins secs.*

TARTARE ALLER-RETOUR AUX HERBES

Préparation : 5 min – Cuisson : 5 min

2 steaks hachés • 2 petits oignons blancs nouveaux • ½ bouquet de cerfeuil • 2 brins de persil plat • 3 brins de ciboulette • 1 cuil. à soupe d'huile d'olive • sel, poivre

Réalisation

Ciselez les herbes et les oignons. Faites chauffer l'huile dans une poêle à revêtement antiadhésif. Faites dorer les steaks hachés pendant 2 minutes sur chaque côté, déposez-les sur les assiettes, salez, poivrez et recouvrez avec les herbes et les oignons. Servez immédiatement.

Coup de cœur : *accompagnez d'une purée de pommes de terre ou de haricots verts vapeur.*

TRANCHE DE GIGOT AU BEURRE DE MOUTARDE

Préparation : 15 min – Cuisson : 6 à 8 min

2 tranches de gigot • 2 cuil. à soupe de moutarde à l'ancienne • 4 cuil. à soupe de chapelure • 4 branches de persil • 4 cuil. à soupe de jus de citron • 60 g de beurre mou • sel, poivre

Réalisation

Ciselez les feuilles de persil. Malaxez dans un bol le beurre avec la moutarde, la chapelure, le jus de citron, le persil et un peu de sel et de poivre. Faites dorer les tranches de gigot à feu vif dans une poêle à revêtement antiadhésif pendant 3 minutes en la retournant à mi-cuisson, puis tartinez-les de beurre et terminez la cuisson à feu doux pendant 3 à 5 minutes selon le degré de cuisson désiré.

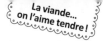

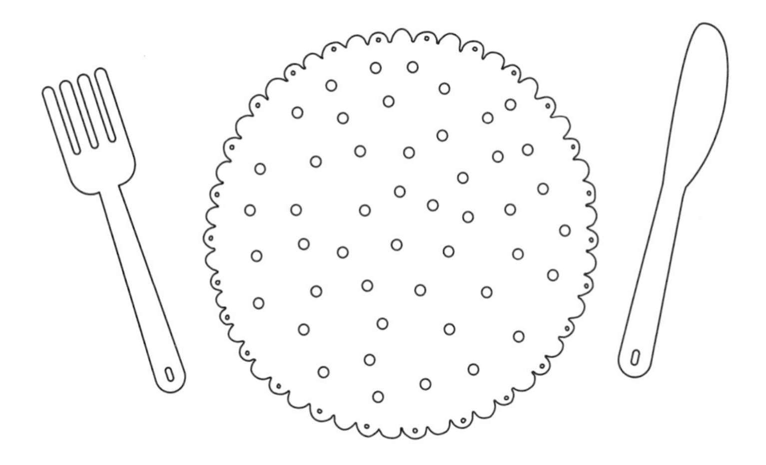

Un amour
de poisson

BARS AU FENOUIL

Préparation : 10 min – Cuisson : 30 min

2 petits bars vidés • 1 fenouil • 2 cuil. à soupe d'huile d'olive • 1 cuil. à soupe de pastis • 1 citron • sel, poivre

Réalisation

Émincez finement le fenouil en réservant les plumets. Mélangez le pastis et l'huile d'olive dans un bol, salez et poivrez. Badigeonnez l'intérieur et l'extérieur des poissons avec ce mélange. Préchauffez le four à 210 °C (th. 7). Pressez le citron. Déposez le fenouil émincé dans un plat à four, arrosez de jus de citron, déposez les bars dessus et versez le reste d'huile d'olive au pastis. Enfournez et laissez cuire pendant 30 minutes. Décorez avec les plumets de fenouil au moment de servir.

BROCHETTES DE LOTTE AU LARD FUMÉ

Préparation : 10 min – Cuisson : 10 min

400 g de lotte épluchée sans l'arête centrale • 6 tranches très fines de lard fumé • 2 cuil. à soupe d'huile d'olive • 1 citron • sel, poivre

Réalisation

Coupez la lotte en gros cubes, coupez les tranches de lard en deux. Enroulez chaque cube de lotte dans une demi-tranche de lard, répartissez-les sur deux brochettes. Faites-les griller au barbecue ou sous le gril du four pendant 10 minutes en les retournant souvent. Pressez le citron, versez le jus dans un bol,

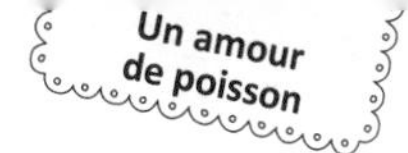

versez l'huile en fouettant à la fourchette, salez, poivrez. Servez les brochettes bien chaudes accompagnées de sauce.

BROCHETTES DE SAINT-JACQUES AU BEURRE DE VANILLE

Préparation : 15 min – Cuisson : 6 min

12 noix de Saint-Jacques • 1 poivron rouge • huile

Sauce : 75 g de beurre • 1 gousse de vanille • sel, poivre du moulin

Réalisation

Sortez le beurre à l'avance du réfrigérateur pour qu'il soit facile à travailler. Lavez le poivron, ouvrez-le, épépinez-le et coupez-le en morceaux de la taille d'une noix de Saint-Jacques. Rincez et épongez les noix de Saint-Jacques ; enfilez-les sur des brochettes huilées en intercalant des morceaux de poivron rouge. Ouvrez la gousse de vanille en deux, prélevez les graines avec la pointe d'un couteau et mélangez-les au beurre ramolli. Salez, poivrez généreusement. Mettez au frais en attendant de servir. Faites cuire les brochettes au barbecue pendant 3 minutes de chaque côté. Servez avec le beurre de vanille.

Coup de cœur : *surveillez bien la cuisson qui doit être courte, sinon les noix durcissent et deviennent filandreuses.*

CABILLAUD À LA PURÉE DE PETITS POIS

Préparation : 15 min – Cuisson : 30 min

300 g de dos de cabillaud • 450 g de petits pois • 1 cube de court-bouillon • 15 cl de crème fraîche • sel, poivre

Réalisation

Faites cuire les petits pois 10 minutes à l'eau bouillante salée, puis égouttez-les. Réservez deux cuillerées à soupe de petits pois, gardez-les au chaud dans l'eau de cuisson. Passez le reste au mixeur, puis au travers d'une passoire fine pour éliminer les peaux. Récupérez la purée de petits pois dans une casserole. Ajoutez à la purée ainsi obtenue du sel, du poivre et la moitié de la crème. Mettez le cube de court-bouillon dans une marmite, versez dessus 25 cl d'eau très chaude et faites bouillir. Plongez les dos de cabillaud dans le court-bouillon bouillant et laissez-les cuire pendant 7 minutes à partir de la reprise de l'ébullition. Égouttez-les. Réchauffez la purée de petits pois, répartissez-la en forme de galette ronde sur deux assiettes. Déposez dessus les morceaux de cabillaud et entourez de petits pois. Faites réchauffer le reste de crème et versez-la sur le poisson. Servez sans attendre.

CABILLAUD AUX ÉPICES

Préparation : 5 min – Cuisson : 30 min

300 g de dos de cabillaud • 2 cuil. à café de graines de fenouil • 4 pincées d'origan • 4 pincées de piment d'Espelette • 2 rondelles de citron non traité • 2 cuil. à soupe d'huile d'olive • fleur de sel, poivre du moulin

Réalisation

Préchauffez le four à 210 °C (th. 7). Hachez finement les rondelles de citron, mélangez avec les graines de fenouil, le piment, l'origan, l'huile, un peu de sel et de poivre. Roulez le poisson dans ce mélange, déposez-le dans un plat à four et faites cuire pendant 25 à 30 minutes. Dégustez immédiatement.

CASSOLETTES DE CÈPES AUX MOULES ET AUX TOMATES

Préparation : 10 min – Cuisson : 20 min

½ bocal de moules au naturel • 200 g de cèpes • 2 tomates confites • 1 gousse d'ail • 1 échalote • 10 cl de vin blanc sec • 40 g de beurre • ½ botte de persil plat • noix de muscade • sel, poivre

Réalisation

Épluchez et hachez l'ail et l'échalote avec le persil. Nettoyez et émincez les cèpes. Rincez les moules, épongez-les dans un papier absorbant. Coupez les tomates confites en petits morceaux. Malaxez le beurre avec le hachis d'ail, d'échalote et de persil, et une pincée de noix de muscade, salez, poivrez. Faites fondre ce beurre dans une casserole, ajoutez les cèpes et laissez-les cuire pendant 10 minutes, puis ajoutez les moules et le vin blanc. Laissez cuire pendant 5 minutes. Répartissez la préparation dans deux cassolettes et parsemez des morceaux de tomate confite. Servez très chaud.

CASSOLETTES DE CREVETTES AUX POIVRONS

Préparation : 10 min – Cuisson : 20 min

8 à 12 crevettes crues décortiquées • 300 g de poivrons rouges et verts • 3 cuil. à soupe d'huile d'olive • 1 cuil. à soupe de basilic ciselé • 1 cuil. à soupe de persil ciselé • sel, poivre

Réalisation

Coupez les poivrons en dés. Versez l'huile dans une cocotte, ajoutez les poivrons et faites cuire à feu doux pendant 10 minutes en remuant souvent, salez et poivrez. Ajoutez les crevettes, salez, poivrez, mélangez bien et prolongez la cuisson 10 minutes. Répartissez la poêlée dans deux cassolettes, parsemez de basilic et de persil. Servez immédiatement.

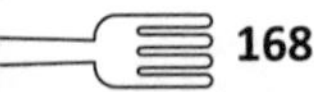

COQUILLES SAINT-JACQUES À LA CRÈME SAFRANÉE

Préparation : 20 min – Cuisson : 10 min

10 noix de Saint-Jacques • 1 échalote • 1 pincée de filaments de safran • 2 cuil. à café de fumet de poisson déshydraté • 5 cl de vin blanc sec • 25 g de beurre • 10 cl de crème liquide • ½ bouquet de ciboulette • sel, poivre

Réalisation

Mettez les filaments de safran à tremper pendant 15 minutes dans 3 cl d'eau tiède. Faites fondre le beurre dans une poêle. Dès qu'il mousse, saisissez les noix de Saint-Jacques 30 secondes sur chaque face. Retirez-les de la poêle et réservez-les. Pelez et émincez finement l'échalote, puis faites-la revenir sans coloration dans la même poêle. Saupoudrez de fumet de poisson, versez le vin blanc et le safran avec son eau de trempage. Salez, poivrez. Portez à frémissement et laissez cuire à découvert jusqu'à évaporation presque totale du liquide. Remettez les noix de Saint-Jacques dans la poêle, ajoutez la crème et laissez épaissir.

CREVETTES SAUTÉES AU PIMENT

Préparation : 10 min – Cuisson : 10 min

12 à 16 crevettes crues • 2 tomates • 1 piment vert • 4 gousses d'ail • 4 cuil. à soupe d'huile d'olive • 8 branches de basilic • sel, poivre

Réalisation

Décortiquez les crevettes. Épépinez le piment et coupez-le en petits dés. Pelez et hachez l'ail. Pelez et épépinez les tomates, coupez la chair en dés. Effeuillez le basilic. Versez l'huile dans une poêle profonde, faites revenir l'ail, le piment et la tomate, salez, poivrez. Retirez-les. Mettez les crevettes et faites-les cuire à feu vif pendant 5 à 8 minutes en les retournant plusieurs fois. Ajoutez les légumes, poursuivez la cuisson pendant 2 minutes pour les réchauffer. Faites glisser dans deux assiettes.

CURRY DE CREVETTES

Préparation : 5 min – Cuisson : 8 min

250 g de crevettes roses décortiquées • 1 gousse d'ail • 1/2 oignon • 1/2 cuil. à café de curcuma • 1/2 cuil. à café de gingembre en poudre • 1 pincée de cumin en poudre • 1 pincée de piment de Cayenne • 5 cl de crème liquide • 2 branches de coriandre fraîche • 15 g de beurre

Réalisation

Épluchez l'ail et l'oignon, hachez-les. Faites fondre le beurre dans une poêle, mettez-y l'ail et l'oignon à revenir. Mélangez les épices à la crème, versez-les dans la poêle, ajoutez les crevettes, mélangez bien et laissez cuire 5 minutes. Versez dans le plat de service et parsemez de coriandre ciselée. Servez chaud.

CREVETTES THAÏES

Préparation : 15 min

400 g de crevettes roses cuites • 1 piment frais • 1 tomate • 2 oignons • 1 gousse d'ail • 1 citron vert non traité • 6 feuilles de laitue • 2 cm de gingembre frais • 3 cuil. à soupe de sauce de soja • 3 cuil. à soupe de nuoc-mâm

Réalisation

Pelez et râpez le gingembre. Lavez, épépinez le piment et hachez-le. Pelez et hachez l'ail et les oignons. Pelez et épépinez la tomate, coupez la chair en petits dés. Prélevez le zeste du citron avec un couteau économe, râpez-le et pressez le fruit. Ciselez la laitue. Décortiquez les crevettes. Disposez la laitue ciselée dans deux petits saladiers, garnissez de crevettes et de dés de tomate. Mélangez dans un bol la sauce de soja avec le jus et le zeste de citron, le nuoc-mâm, l'ail, l'oignon et le piment hachés, et le gingembre râpé. Versez sur la salade et servez sans attendre.

Coup de cœur : *vous pouvez servir ces crevettes en entrée en réduisant les proportions de moitié.*

DAURADES EN CROÛTE DE SEL

Préparation : 15 min – Cuisson : 20 min

2 petites daurades portion • 1 bulbe de fenouil • 2 branches de thym • 3 cuil. à soupe d'huile d'olive • 1 citron • 1 kg de gros sel de Guérande • poivre du moulin

Réalisation

Faites vider les daurades par votre poissonnier sans les écailler. Coupez et hachez grossièrement les branches de fenouil. Mettez les brins de thym dans le ventre des poissons ainsi que les morceaux de fenouil. Poivrez et arrosez d'un filet d'huile d'olive. Préchauffez le four à 240 °C (th. 8). Tapissez un plat à gratin de 1 cm de gros sel. Posez les daurades dessus et recouvrez-les entièrement avec le reste de gros sel. Vaporisez d'eau pour bien tasser le gros sel. Enfournez le plat et laissez cuire les poissons pendant 20 minutes. Sortez le plat du four et laissez reposer 5 minutes. Pressez le citron, mélangez-le avec l'huile et un peu de poivre du moulin. Cassez la croûte de sel avec un couteau. Déposez une daurade sur chaque assiette. Servez avec la sauce au citron en saucière.

Coup de cœur : *si vous ne trouvez pas de petites daurades, prenez une daurade de 350 à 400 g. Après avoir cassé la croûte de sel, vous enlèverez la peau et lèverez les filets.*

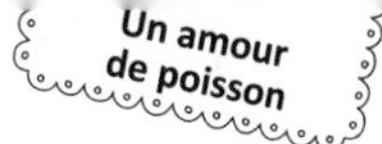

DOS DE FLÉTAN AUX CHAMPIGNONS ET AU GINGEMBRE

Préparation : 5 min – Cuisson : 15 min

4 filets de flétan • 225 g de mélange de champignons • 1½ cuil. à soupe de gingembre émincé • 1½ cuil. à soupe d'huile • 1 cuil. à soupe de ciboulette ciselée • sel, poivre

Réalisation

Plongez le poisson dans une casserole d'eau bouillante salée et faites cuire à petits bouillons pendant 15 minutes à partir de la reprise de l'ébullition. Pendant ce temps, faites chauffer l'huile dans une casserole, mettez les champignons, le gingembre, un peu de sel et de poivre et faites dorer doucement pendant 15 minutes.

Égouttez le poisson, mettez-le sur les assiettes, recouvrez-le de champignons au gingembre. Saupoudrez d'un peu de ciboulette et servez sans attendre.

EFFILOCHÉ DE RAIE AUX CÂPRES

Préparation : 15 min – Cuisson : 10 min

300 g d'aile de raie • quelques feuilles de laitue • quelques feuilles de salade feuille de chêne • 1 cuil. à soupe de câpres • ½ cuil. à soupe de baies roses • quelques brins de ciboulette • ½ cuil. à soupe de vinaigre de vin • ½ cuil. à café de moutarde • 2 cuil. à soupe d'huile de tournesol • sel, poivre

Réalisation

Mettez la raie dans un faitout, couvrez d'eau, salez, poivrez, portez à ébullition et faites pocher pendant 10 minutes.

Pendant ce temps, épluchez les salades, lavez-les soigneusement, essorez-les à fond et disposez-les dans un saladier. Préparez la vinaigrette en mélangeant la moutarde, le vinaigre et l'huile avec un peu de sel et de poivre, versez-la sur la salade, mélangez. Égouttez la raie, épluchez-la, effilochez la chair et disposez-la sur la salade. Ajoutez les câpres, les baies roses et la ciboulette ciselée.

Coup de cœur : *utilisez des salades épluchées, en sachet.*

ESCALOPES DE SAUMON AUX ÉPICES

Préparation : 5 min – Cuisson : 5 min

2 escalopes de saumon • 3 gousses d'ail • 3 cuil. à soupe de jus de citron • 3 cuil. à soupe d'huile d'olive • 1 pincée de piment de Cayenne • ½ cuil. à café de curcuma • 2 branches de menthe • sel, poivre

Réalisation

Faites chauffer une poêle à revêtement antiadhésif. Épluchez les gousses d'ail, écrasez-les au presse-ail au-dessus d'un bol. Versez le jus de citron, les épices, l'huile, salez et poivrez. Badigeonnez les escalopes de saumon sur les deux faces avec cette sauce et faites-les cuire en les retournant au bout de 2 minutes. Saupoudrez de menthe ciselée au moment de servir et accompagnez de sauce.

Coup de cœur : *accompagnez ce saumon de brocolis ou de haricots verts cuits à la vapeur.*

ESCALOPES DE TRUITES SAUMONÉES AUX ÉPINARDS

Préparation : 15 min – Cuisson : 20 min

2 filets de truite saumonée • 12 cl de vin blanc sec • 2 cuil. à soupe d'huile d'olive • 1 échalote • 25 cl de bouillon de volaille • 1 cuil. à soupe de crème • 400 g d'épinards en branches • 40 g de beurre • sel, poivre

Réalisation

Préchauffez le four à 210 °C (th. 7). Posez les filets de truite dans un plat à four, arrosez-les d'un filet d'huile d'olive et faites-les cuire au four pendant 5 minutes. Épluchez et hachez l'échalote, faites-la revenir dans une casserole. Ajoutez le vin, le bouillon de volaille et la crème. Salez et poivrez. Faites réduire 3 à 4 minutes. Lavez les épinards, égouttez-les, équeutez-les et faites-les réduire dans une cocotte avec une noisette de beurre. Répartissez les épinards sur deux assiettes. Déposez les filets de truite sur les épinards et nappez-les avec la sauce. Servez aussitôt.

FILETS DE MERLAN AUX PETITS LÉGUMES

Préparation : 5 min – Cuisson : 15 min

4 filets de merlan • 400 g de julienne de légumes • 1 cuil. à soupe d'huile d'olive • 1 cuil. à soupe de cerfeuil ciselé • ½ cuil. à soupe de baies roses • sel de Guérande, poivre du moulin

Réalisation

Faites pocher les filets de merlan pendant 5 minutes dans de l'eau bouillante salée. Faites cuire la julienne à la vapeur pendant 5 minutes ; les légumes doivent rester légèrement croquants. Disposez le poisson et les légumes sur deux assiettes, arrosez d'un filet d'huile d'olive, puis saupoudrez de cerfeuil, de baies roses, de sel de Guérande et enfin terminez par un tour de moulin à poivre.

FILETS DE SOLE POÊLÉS AU CITRON

Préparation : 5 min – Cuisson : 10 min

4 à 8 filets de sole • 40 g de beurre • 1 cuil. à soupe d'huile d'olive • 1 cuil. à soupe de farine • 1 branche de persil plat • 1 citron • sel, poivre

Réalisation

Faites lever les filets de sole par votre poissonnier. Prévoyez deux à quatre filets par personne selon leur grosseur. Pressez le citron. Effeuillez et ciselez le persil. Versez la farine dans une assiette creuse, passez les filets de sole dans la farine et secouez-les pour en enlever l'excédent. Faites chauffer l'huile dans une poêle et faites cuire les filets 4 minutes de chaque côté à feu doux. Retirez les filets de la poêle, salez, poivrez et gardez au chaud dans un plat. Jetez l'huile de cuisson et faites fondre le beurre. Ajoutez le jus du citron. Mélangez et versez ce beurre citronné sur les filets. Parsemez de persil ciselé. Servez aussitôt

Coup de cœur : *accompagnez ces filets de sole de pommes de terre vapeur.*

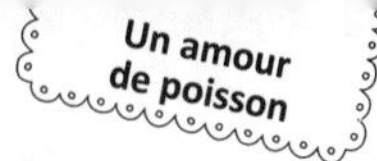

GAMBAS FLAMBÉES AU PASTIS

Préparation : 5 min – Marinade : 2 h – Cuisson : 10 min

8 gambas • 2 cuil. à soupe d'huile d'olive • 1 gousse d'ail • 1 cuil. à soupe de ciboulette • 2 cuil. à soupe de pastis • sel, poivre

Réalisation

Épluchez l'ail, écrasez-le au presse-ail. Ciselez la ciboulette. Mettez ail et ciboulette dans un saladier, arrosez avec l'huile d'olive, salez et poivrez. Mettez les gambas dans la marinade et réservez pendant 2 heures au frais. Faites revenir les gambas avec la marinade dans une sauteuse à feu vif. Versez le pastis et flambez. Servez aussitôt.

Coup de cœur : *accompagnez ces gambas de riz sauvage.*

GAMBAS PANÉES AU SÉSAME

Préparation : 10 min – Cuisson : 5 min

8 à 12 gambas • 2 cuil. à soupe de chapelure • 1 cuil. à soupe de graines de sésame • 2 cuil. à soupe d'huile d'olive • fleur de sel, poivre du moulin

Réalisation

Décortiquez les gambas crues. Versez une cuillerée d'huile dans une assiette creuse. Dans une seconde assiette creuse, mélangez la chapelure et les graines de sésame. Trempez les gambas dans l'huile puis enrobez-les de panure. Faites chauffer le reste d'huile dans une poêle et faites dorer les gambas panées pendant 5 minutes en les retournant régulièrement avec précaution. Déposez-les sur deux assiettes, parsemez de fleur de sel et de poivre du moulin.

GRATIN DE FRUITS DE MER

Préparation : 10 min – Cuisson : 15 min

1 litre de moules • 150 g de crevettes roses cuites décortiquées • ½ oignon • 50 cl de vin blanc sec • 40 g de beurre • 1 cuil. à soupe de farine • 10 cl de crème • 40 g de gruyère râpé • sel, poivre

Réalisation

Épluchez l'oignon, hachez-le. Brossez les moules, lavez-les à grande eau. Faites fondre une noisette de beurre dans une sauteuse, mettez l'oignon haché, ajoutez les moules, arrosez de vin blanc et faites-les ouvrir à grand feu en secouant la sauteuse. Dès qu'elles sont ouvertes, retirez-les avec une écumoire en réservant le jus de cuisson. Décoquillez les moules, passez le jus de cuisson. Préparez la sauce : faites fondre 20 g de beurre dans une casserole, saupoudrez de farine et laissez cuire 3 minutes en mélangeant. Délayez peu à peu avec le jus de cuisson des moules, poivrez et prolongez la cuisson jusqu'à épaississement. Incorporez la crème. Mettez les moules et les crevettes dans la sauce. Préchauffez le four à 210 °C (th. 7). Beurrez un petit plat à gratin. Versez la préparation dans le plat, saupoudrez de gruyère râpé, parsemez de petits morceaux de beurre et faites gratiner 5 minutes sous le gril. Servez très chaud.

Coup de cœur : *vous pouvez enrichir ce plat de coquilles Saint-Jacques ou de langoustines.*

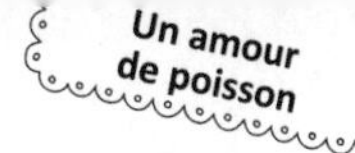

LANGOUSTINES RÔTIES AU PIMENT

Préparation : 5 min – Cuisson : 5 min

6 langoustines décortiquées • 15 g de beurre • ½ cuil. à soupe d'huile d'olive • ½ cuil. à café de piment d'Espelette • 2 branches de persil • ¼ de cuil. à café de fleur de sel • ¼ de cuil. à café de poivre concassé

Réalisation

Épongez les langoustines. Versez le sel, le poivre, le piment et le persil ciselé dans une assiette creuse, roulez les langoustines dans ce mélange. Faites chauffer le beurre et l'huile dans une poêle et saisissez les langoustines. Faites-les dorer pendant 5 minutes en les retournant souvent. Servez sans attendre.

LOTTE À L'ANANAS ET À LA TOMATE

Préparation : 10 min – Cuisson : 10 min

400 g de lotte préparée sans arête • 1 oignon • ½ petite boîte de pulpe de tomate • 3 tranches d'ananas au sirop • 1 cm de gingembre • ½ citron vert • 1 cuil. à soupe de sauce de soja • 2 cuil. à soupe d'huile d'arachide

Réalisation

Épluchez l'oignon, émincez-le. Pelez le gingembre et râpez-le. Coupez la lotte en dés. Pressez le demi-citron vert. Coupez les tranches d'ananas en six en réservant le jus. Faites chauffer une cuillerée à soupe d'huile dans un wok ou dans une sauteuse, faites sauter les dés de lotte pendant 5 minutes sans cesser de mélanger. Retirez-les. Versez le reste d'huile dans le wok, faites revenir l'oignon et le gingembre pendant 3 minutes en mélangeant. Ajoutez la pulpe de tomate, les tranches d'ananas et leur sirop, la sauce de soja, mélangez bien et prolongez la cuisson 2 minutes. Remettez les dés de lotte pour les réchauffer pendant 1 minute. Servez sans attendre.

LOTTE AU POIVRE VERT

Préparation : 10 min – Cuisson : 25 min

400 g de filets de lotte • 10 cl de vin blanc sec • 1 cuil. à soupe de poivre vert • 25 cl de crème • 1 jaune d'œuf • 1 cuil. à soupe d'huile d'olive • sel, poivre

Réalisation

Faites chauffer l'huile dans une cocotte. Ajoutez les filets de lotte, puis arrosez de vin blanc. Ajoutez le poivre vert, un peu de sel, couvrez et faites cuire à feu doux pendant 20 minutes. Retirez les morceaux de lotte et disposez-les sur le plat de service chauffé. Versez la crème dans la cocotte, vérifiez l'assaisonnement et laissez réduire quelques minutes. Battez le jaune d'œuf dans un bol et délayez avec une petite cuillerée de sauce, puis versez le mélange dans la cocotte et faites chauffer sans bouillir jusqu'à ce que la sauce nappe la cuillère. Versez sur les morceaux de lotte.

Coup de cœur : *accompagnez de riz basmati.*

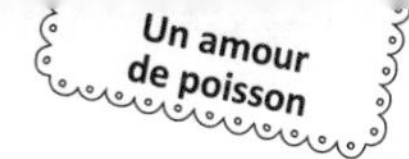

LOTTE DES INDES

Préparation : 15 min – Cuisson : 30 min

400 g de queue de lotte • 1 oignon • 3 grosses tomates • 2 gousses d'ail • 10 cl de vin blanc • 1 cuil. à soupe de curry • 1 cuil. à soupe de farine • 2 cuil. à soupe d'huile d'olive • 1 branche de thym • sel, poivre

Réalisation

Pelez et hachez l'ail et l'oignon. Ébouillantez les tomates, pelez-les puis épépinez-les. Versez la farine dans une assiette creuse, ajoutez du sel et du poivre, mélangez. Coupez la lotte en morceaux, roulez-les dans la farine. Faites chauffer l'huile dans une sauteuse, faites revenir doucement l'ail et l'oignon pendant 2 minutes, puis ajoutez les morceaux de lotte. Laissez-les dorer en les retournant souvent, puis ajoutez les tomates, le thym effeuillé, le curry et le vin. Mélangez, couvrez et laissez cuire pendant 20 minutes à feu doux. Servez avec du riz.

MIJOTÉE DE MOULES AU CIDRE ET AU LARD

Préparation : 20 min – Cuisson : 10 min

1 litre de moules • 4 pincées de piment d'Espelette • ½ bouteille de cidre bouché brut • 100 g d'allumettes de lard fumé • 40 g de beurre • 1 cuil. à soupe de farine • sel

Réalisation

Grattez et lavez les moules. Faites dorer les allumettes de lard dans une sauteuse sans matières grasses pendant 2 minutes, puis ajoutez les moules. Arrosez de cidre, ajoutez le piment, salez et faites bouillir. Poursuivez la cuisson des moules pendant 5 minutes, jusqu'à ce qu'elles soient toutes ouvertes. Retirez-les avec une écumoire. Faites réduire le jus de cuisson d'un tiers. Malaxez le beurre avec la farine et incorporez ce beurre manié au jus en mélangeant bien. Remettez les moules pour les réchauffer pendant 2 minutes et servez aussitôt dans des assiettes creuses.

MILLEFEUILLES DE SAUMON AUX ÉPINARDS

Préparation : 10 min – Cuisson : 45 min

2 grandes tranches de saumon fumé • 300 g de pousses d'épinard • 200 g de ricotta • 3 cuil. à soupe de crème fraîche • 1 paquet de bricks • 30 g de beurre • sel, poivre

Réalisation

Lavez, essorez, équeutez et ciselez les épinards. Faites-les cuire dans une sauteuse jusqu'à ce que l'eau s'évapore. Ajoutez la ricotta puis la crème fraîche, très peu de sel et un peu de poivre. Préchauffez le four à 180 °C (th. 6). Beurrez un plat à gratin. Mettez au fond du plat une couche d'épinards, puis une demi-tranche de saumon fumé. Recouvrez d'une feuille de brick et recommencez trois fois la même opération. Terminez par une feuille de brick et parsemez-la de petits morceaux de beurre. Faites cuire au four pendant 45 minutes.

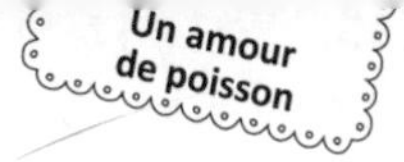

MIXED GRIL DE POISSONS

Préparation : 5 min – Cuisson : 10 min

100 g de saumon frais • 100 g de lotte • 100 g de cabillaud • 2 grosses crevettes • ½ citron • sel, poivre

Réalisation

Coupez les poissons en deux parts, faites-les griller au barbecue avec les crevettes pendant 8 à 10 minutes, répartissez-les sur les assiettes. Salez, poivrez et ornez d'un quart de citron.

Coup de cœur : *accompagnez de riz, de courgettes, de brocolis, de tomates.*

MOUCLADE CHARENTAISE

Préparation : 15 min – Cuisson : 20 min

2 litres de moules • 7 cl de vin blanc sec • 1 jaune d'œuf • ½ oignon • 5 cl de crème fraîche • 1 cuil. à soupe de curry • 15 g de beurre • ½ bouquet garni • sel, poivre

Réalisation

Grattez les moules, lavez-les à grande eau. Versez le vin blanc dans une sauteuse, ajoutez le bouquet garni et une grosse pincée de poivre. Faites ouvrir les moules à feu vif. Dès qu'elles sont ouvertes, retirez la sauteuse du feu. Ôtez à chaque moule une coquille, déposez-les au fur et à mesure dans deux plats à four. Filtrez le jus de cuisson, réservez. Pelez et hachez l'oignon, faites-le revenir à la poêle avec le beurre jusqu'à ce qu'il devienne transparent, saupoudrez de curry et mouillez avec le jus de cuisson des moules. Faites réduire de moitié à feu vif pendant 5 minutes. Mélangez le jaune d'œuf avec la crème et deux petites cuillerées à soupe du jus de cuisson des moules. Incorporez à la sauce et poursuivez la cuisson pendant 5 minutes à feu doux pour que la sauce épaississe. Versez sur les moules. Passez sous le gril pendant 5 minutes. Servez très chaud.

MOULES À LA CRÈME ET AU CURRY

Préparation : 10 min – Cuisson : 15 min

2 litres de moules • 35 cl de vin blanc sec • 10 cl de crème • 1½ cuil. à soupe de curry • 1 échalote • sel, poivre

Réalisation

Grattez les moules et lavez-les à grande eau. Pelez et hachez l'échalote. Versez le vin blanc dans une sauteuse, portez-le à ébullition, puis mettez les moules, salez, poivrez et mélangez. Laissez-les ouvrir à feu vif en secouant la sauteuse régulièrement. Dès qu'elles sont ouvertes, retirez-les de la sauteuse avec une écumoire et ôtez une coquille sur deux. Préchauffez le four à 150 °C (th. 5). Mettez les moules dans deux petites cocottes. Filtrez le jus de cuisson, mélangez-le avec la crème et le curry, versez sur les moules. Couvrez les cocottes et enfournez. Réchauffez pendant 5 minutes. Servez aussitôt.

MOULES AU GINGEMBRE ET À LA CITRONNELLE

Préparation : 25 min – Cuisson : 15 min

2 litres de moules • 50 cl de fumet de poisson • 4 cm de gingembre • 2 tiges de citronnelle • 4 pincées de piment de Cayenne • 8 branches de coriandre • sel, poivre

Réalisation

Grattez les moules, lavez-les dans plusieurs eaux, jetez celles qui sont ouvertes. Pelez le gingembre, émincez-le en bâtonnets. Ciselez la citronnelle. Effeuillez la coriandre. Versez le fumet de poisson dans une grande casserole, ajoutez le gingembre et la citronnelle, salez, poivrez et portez à ébullition. Mettez les moules dans la casserole et laissez bouillir pendant environ 5 minutes. Les moules doivent être toutes ouvertes. Versez dans des assiettes creuses et dégustez bien chaud.

MOULES FARCIES GRATINÉES

Préparation : 10 min – Cuisson : 20 min

24 grosses moules d'Espagne • 15 cl de vin blanc • 2 tomates • 75 g de talon de jambon cru • 1 gousse d'ail• 1 échalote • 2 cuil. à soupe de chapelure • 2 cuil. à soupe de gruyère râpé • 3 cuil. à soupe d'huile d'olive • sel, poivre

Réalisation

Grattez les moules et lavez-les. Versez le vin blanc dans une sauteuse, ajoutez les moules, du sel, du poivre, et faites-les ouvrir à feu vif en secouant la sauteuse. Retirez les moules avec une écumoire, réservez le jus de cuisson. Enlevez à chaque moule une coquille sur deux, et disposez-les dans un plat à gratin, ou dans deux assiettes individuelles. Pelez les tomates après les avoir ébouillantées, épépinez-les et coupez-les en petits dés. Épluchez et hachez l'ail et l'échalote. Coupez le jambon en dés également. Faites revenir l'ail, l'échalote, les dés de tomate et le jambon dans une cuillerée à coupe d'huile d'olive. Laissez fondre doucement pendant 10 minutes. Préchauffez le four à 180 °C (th. 6). Répartissez le hachis sur les moules, saupoudrez de chapelure et de gruyère râpé, arrosez d'un filet d'huile et enfournez.

Faites gratiner 3 à 5 minutes sous le gril.

NOIX DE SAINT-JACQUES AU LAIT DE COCO ET AU GINGEMBRE

Préparation : 5 min – Cuisson : 5 min

6 noix de Saint-Jacques • ¼ de courgette • 2 cm de gingembre • 1½ briquette de lait de coco • 5 brins de ciboulette • sel, poivre

Réalisation

Épluchez le gingembre et hachez-le. Lavez et essuyez le morceau de courgette, coupez-le en tranches et chaque tranche en quatre. Versez le lait de coco dans une casserole, ajoutez le gingembre, du sel et un peu de poivre. Portez à ébullition. Plongez les noix de Saint-Jacques et les tranches de courgette dans le lait de coco bouillant et faites pocher pendant 4 minutes. Répartissez les Saint-Jacques et le lait de coco dans deux assiettes creuses. Parsemez de ciboulette ciselée.

NOUILLES AUX CREVETTES PIMENTÉES

Préparation : 10 min – Cuisson : 10 min

125 g de nouilles de riz • 12 grosses crevettes crues • 1 gousse d'ail • ½ piment rouge • ½ citron vert • 1 tige de ciboule • ½ cuil. à soupe de miel • 1½ cuil. à soupe de sauce de soja • ½ cuil. à soupe de nuoc-mâm • 2 cuil. à soupe d'huile • ½ bouquet de basilic • sel

Réalisation

Lavez le demi-piment, ouvrez-le, ôtez les graines et coupez la chair en très petits morceaux. Mettez-les dans un bol. Coupez la ciboule en petites rondelles et mettez-la dans le bol. Pelez la gousse d'ail, écrasez-la au presse-ail au-dessus du bol. Pressez le demi-citron vert, versez le jus obtenu dans le bol. Ajoutez le miel, la sauce de soja et le nuoc-mâm. Mélangez. Décortiquez les crevettes. Faites cuire les nouilles dans de l'eau bouillante salée additionnée d'une petite cuillerée d'huile pendant 5 minutes, égouttez-les. Versez le reste d'huile dans un wok ou dans une sauteuse, faites revenir les crevettes pendant 3 minutes en les retournant sans cesse, ajoutez le contenu du bol, puis les nouilles et prolongez la cuisson 1 minute en mélangeant. Parsemez de basilic ciselé au moment de servir.

PAPILLOTES DE MERLAN AU FENOUIL CONFIT ET AU PASTIS

Préparation : 10 min – Cuisson : 50 min

2 filets de merlan • ½ oignon • 1 fenouil • 2 branches de basilic • 40 g de beurre • 2 cl de pastis • sel, poivre

Réalisation

Épluchez l'oignon, enlevez les feuilles flétries du bulbe de fenouil, puis émincez-le finement. Faites fondre le beurre dans une casserole, ajoutez fenouil et oignon et faites confire à feu doux pendant 20 minutes en remuant souvent. Ajoutez le pastis et les feuilles de basilic, poursuivez la cuisson pendant 10 minutes. Découpez deux carrés de papier d'aluminium, déposez sur chacun d'eux un filet de merlan et un peu de fondue d'oignon. Salez et poivrez. Refermez hermétiquement les papillotes puis faites cuire au barbecue pendant 15 à 20 minutes.

PAUPIETTES DE MERLAN À LA CRÈME

Préparation : 10 min – Cuisson : 35 min

3 beaux filets de merlan • 100 g de champignons • 1 branche de persil • 1 œuf • 15 g de beurre • 10 cl de crème fraîche • ½ citron • sel, poivre

Réalisation

Lavez et essuyez les champignons, hachez-les avec un filet de merlan, le persil, salez, poivrez et faites cuire pendant 5 minutes dans 5 g de beurre. Faites durcir l'œuf, hachez-le et mélangez-le au hachis. Préchauffez le four à 180 °C (th. 6).

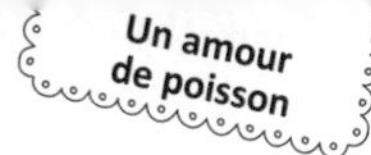

Étalez les derniers filets de merlan sur un plan de travail, déposez une noix de farce au centre et roulez-les. Maintenez-les avec une pique en bois. Déposez-les dans un plat à four beurré et faites-les cuire pendant 30 minutes au four. Pressez le citron, faites chauffer la crème dans une casserole, ajoutez le jus de citron, salez poivrez et versez sur les paupiettes au moment de servir.

PAVÉS DE CABILLAUD RÔTIS, BEURRE AUX BAIES ROSES

Préparation : 15 min – Cuisson : 15 min

2 pavés de cabillaud • 2 cuil. à café de baies roses • 50 g de beurre • fleur de sel

Réalisation

Sortez le beurre à l'avance du réfrigérateur. Malaxez-le avec les baies roses. Placez-le entre deux feuilles d'aluminium, étalez-le avec un rouleau à pâtisserie et replacez-le au réfrigérateur. Préchauffez le four à 210 °C (th. 7). Déposez les pavés de cabillaud dans un plat à four, enfournez et laissez cuire pendant 10 à 15 minutes selon l'épaisseur des morceaux. Déposez un pavé sur chaque assiette, saupoudrez de fleur de sel. Sortez le beurre du réfrigérateur, découpez deux cœurs à l'aide d'un emporte-pièce, déposez-les sur les assiettes.

PAVÉS DE SAUMON AU JUS D'AGRUMES

Préparation : 5 min – Cuisson : 5 min

2 pavés de saumon • ½ citron • ½ orange • 1 cuil. à soupe de gingembre en poudre • ½ piment oiseau • ½ cuil. à soupe de sucre • 1 cuil. à soupe de vinaigre de xérès • 1 cuil. à soupe d'huile d'olive

Réalisation

Pressez le citron et l'orange. Versez le sucre dans une casserole, mouillez avec le vinaigre et faites caraméliser. Ajoutez le jus des fruits, le gingembre et le piment émietté. Laissez réduire pendant 2 minutes. Huilez les pavés de saumon et faites-les cuire dans une poêle à revêtement antiadhésif pendant 2 minutes sur chaque face. Déposez les pavés dans les assiettes, nappez de sauce.

PAVÉS DE SAUMON CARAMEL DE SOJA

Préparation : 5 min – Cuisson : 15 min

2 pavés de saumon • 4 cuil. à soupe de sauce de soja • 2 cuil. à soupe de miel • poivre

Réalisation

Faites pocher les pavés de saumon pendant 10 minutes dans de l'eau bouillante salée. Égouttez-les, déposez-les dans un plat à four. Faites fondre le miel avec la sauce de soja et un peu de poivre dans une petite casserole jusqu'à ce que le mélange devienne sirupeux. Badigeonnez les pavés de caramel de soja et passez sous le gril pendant quelques secondes. Servez chaud.

PETITES COCOTTES DE POISSONS AU SAFRAN ET AU PASTIS

Préparation : 20 min – Cuisson : 40 min

2 filets de rouget • 100 g de cabillaud • 6 moules • 200 g de saumon • 4 petites pommes de terre • 1 petite courgette • ½ échalote • 50 cl de soupe de poisson • 2 cl de pastis • 1 dose de safran • 10 g de beurre • sel, poivre

Réalisation

Pelez les pommes de terre, faites-les cuire à l'eau bouillante salée pendant 10 minutes. Lavez la courgette, coupez-la en rondelles, ajoutez-les aux pommes de terre et prolongez la cuisson pendant 5 minutes. Retirez les légumes avec une écumoire, réservez. Grattez et lavez soigneusement les moules. Pelez et émincez l'échalote. Faites fondre une noisette de beurre dans une casserole, mettez l'échalote, laissez-la dorer pendant 2 minutes, puis mettez les moules, mélangez, couvrez et faites-les ouvrir à feu vif en secouant régulièrement la casserole. Lorsqu'elles sont ouvertes, retirez-les, ôtez une coquille sur deux et réservez. Passez le jus de cuisson, versez-le dans une casserole. Ajoutez la soupe de poisson, le pastis et le safran, portez à ébullition. Retirez du feu. Préchauffez le four à 180 °C (th. 6). Coupez les filets de rouget en deux, le saumon et le cabillaud en petits cubes. Répartissez dans deux petites cocottes les poissons, les moules et les légumes. Arrosez de soupe de poisson au safran et au pastis. Couvrez, enfournez et laissez cuire pendant 25 minutes. Servez bien chaud.

Coup de cœur : *accompagnez de tranches de baguette grillées frottées à l'ail et de sauce rouille.*

PETITS CALAMARS GRILLÉS

Préparation : 5 min – Cuisson : 10 min

300 g de petits calamars frais ou surgelés • 2 gousses d'ail • 50 g d'allumettes de lard fumé • 1 cuil. à soupe d'huile d'olive • 1 cuil. à soupe de vinaigre de xérès • sel, poivre

Réalisation

Pelez et écrasez l'ail. Faites chauffer l'huile dans une sauteuse, mettez les allumettes de lard et l'ail, faites dorer pendant 2 minutes puis ajoutez les calamars et prolongez la cuisson pendant 5 minutes en mélangeant. Salez, poivrez, mélangez, versez sur le plat de service. Déglacez la sauteuse avec le vinaigre, versez sur les calamars. Servez aussitôt.

Coup de cœur : *servez avec des pâtes fraîches ou du riz.*

POISSON POCHÉ SAUCE AU GINGEMBRE

Préparation : 5 min – Attente : 15 min – Cuisson : 10 min

2 filets de cabillaud de 150 g chacun • 3 cm de gingembre frais • 4 champignons noirs déshydratés • 1 cuil. à café de Maïzena • 15 cl de bouillon de bœuf • ½ bouquet de basilic • 1 tige de citronnelle

Réalisation

Pelez le gingembre et coupez-le en fines lamelles. Mettez les champignons noirs dans un bol, couvrez-les d'eau bouillante et laissez-les se réhydrater pendant 15 minutes. Mettez le basilic et la citronnelle dans le panier supérieur d'un cuit-vapeur, couchez le poisson dessus et faites-le cuire environ 10 minutes. Versez le bouillon de bœuf dans un wok ou dans une sauteuse, ajoutez les champignons et le gingembre. Laissez cuire à petits bouillons 10 minutes. Délayez la Maïzena avec une louche de bouillon puis versez-la dans le wok. Prolongez la cuisson jusqu'à ce que la sauce soit légèrement épaissie. Mettez le poisson dans un plat creux, arrosez de sauce et servez très chaud.

POT-AU-FEU DE LA MER AU PAPRIKA

Préparation : 10 min – Cuisson : 40 min

250 g de cabillaud • 250 g de saumon frais • 4 carottes • 2 poireaux • 2 petits navets • ½ brocoli • ½ oignon • 5 cl de vin blanc • 25 cl de fumet de poisson • ½ cuil. à soupe de paprika • sel, poivre

Réalisation

Pelez les carottes, coupez-les en tronçons de 3 cm de long. Épluchez les poireaux, lavez-les, coupez-les en tronçons de la même taille et ficelez-les en deux fagots avec du fil de cuisine. Pelez les navets. Pelez l'oignon, émincez-le. Séparez le brocoli en deux ou quatre petits bouquets. Mettez le fumet de poisson avec le vin blanc et le paprika dans une casserole, ajoutez les légumes, du sel et du poivre. Portez à ébullition, puis baissez le feu et faites cuire pendant 30 minutes. Coupez les poissons en deux morceaux chacun, ajoutez-les dans la casserole et poursuivez la cuisson pendant 10 minutes. Répartissez les légumes et les morceaux de poisson dans deux cocottes individuelles, arrosez de bouillon, couvrez-les et servez bien chaud avec du gros sel.

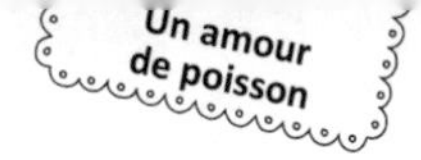

ROUGETS AU BACON

Préparation : 5 min – Cuisson : 8 min

8 filets de rouget • 4 tranches de bacon • 1 cuil. à soupe d'huile d'olive • sel, poivre

Réalisation

Préchauffez le four à 210 °C (th. 7). Assemblez les filets de rouget deux par deux en intercalant une tranche de bacon. Déposez-les dans un plat à four, arrosez d'un peu d'huile, salez peu, poivrez et laissez cuire pendant 5 à 8 minutes. Servez aussitôt.

ROUGETS AU FENOUIL

Préparation : 10 min – Cuisson : 35 min

2 rougets vidés et écaillés • 1 gros bulbe de fenouil • 1 cuil. à soupe d'huile d'olive • 60 g de beurre • 1 échalote • 1 dose de safran • 1 pincée de piment d'Espelette • sel

Réalisation

Épluchez le fenouil et coupez-le finement en mettant deux branches de côté. Faites fondre 15 g de beurre avec l'huile d'olive dans une casserole. Ajoutez le fenouil émincé et salez. Laissez cuire à feu doux pendant 10 à 15 minutes. Préchauffez le four à 210 °C (th. 7). Glissez une branche de fenouil à l'intérieur de chaque rouget, huilez-les légèrement. Déposez chacun d'eux sur une feuille d'aluminium. Refermez la papillote. Faites cuire 15 minutes au four. Épluchez et hachez l'échalote. Mélangez à la fourchette le reste de beurre avec l'échalote, le safran, le piment et du sel. Retirez les rougets des papillotes, disposez-les sur les assiettes et posez dessus un morceau de beurre. Entourez de fenouil cuit.

ROUGETS FARCIS AU BASILIC

Préparation : 10 min – Cuisson : 15 min

4 rougets vidés • 16 feuilles de basilic • 8 cuil. à soupe d'huile d'olive • sel, poivre

Réalisation

Préchauffez le four à 180 °C (th. 6). Ciselez les feuilles de basilic. Enlevez l'arête centrale des rougets, salez et poivrez l'intérieur et farcissez-les de feuilles de basilic. Refermez-les et déposez-les dans un plat à four. Arrosez les poissons d'huile d'olive et faites cuire pendant 15 minutes environ.

Coup de cœur : *dégustez avec un peu de tapenade.*

STEAKS DE THON AUX DEUX POIVRES

Préparation : 5 min – Cuisson : 10 min

2 steaks de thon • ½ cuil. à café de baies roses • ½ cuil. à café de poivre gris en grains • 1 cuil. à soupe d'huile • sel de Guérande

Réalisation

Concassez les poivres et versez-les dans une assiette. Ajoutez un peu de sel de Guérande et l'huile. Mélangez bien. Déposez les steaks de thon dans cette préparation, retournez-les pour qu'ils soient bien imprégnés. Faites chauffer une poêle à revêtement antiadhésif et faites cuire les pavés à feu doux de 6 à

10 minutes de chaque côté selon le degré de cuisson désiré. Servez immédiatement.

Coup de cœur : *accompagnez ce plat de purée de carottes.*

TAGLIATELLES AU SAUMON, CURRY ET CORIANDRE

Préparation : 10 min – Cuisson : 8 min

100 g de saumon frais • 125 g de tagliatelles • 1 échalote • 10 cl de crème liquide • 1 cuil. à soupe de curry • ½ cuil. à soupe d'huile d'arachide • quelques brins de coriandre • sel, poivre

Réalisation

Faites pocher le saumon dans de l'eau bouillante salée pendant 5 à 8 minutes selon l'épaisseur des morceaux. Faites cuire les tagliatelles dans de l'eau bouillante salée pendant 8 minutes. Pendant ce temps, pelez les échalotes, hachez-les. Faites chauffer l'huile dans une sauteuse, faites revenir les échalotes, saupoudrez de curry, ajoutez la crème liquide, du sel, du poivre et laissez mijoter pendant 5 minutes. Égouttez les pâtes, mettez-les dans un plat creux. Effilochez le saumon, disposez-le dessus et arrosez de sauce. Parsemez de coriandre ciselée.

TRUITES AUX AMANDES

Préparation : 10 min – Cuisson : 15 min

2 truites de 250 g chacune • 60 g d'amandes effilées • 1 cuil. à soupe de farine • 1 cuil. à soupe d'huile • 70 g de beurre • sel, poivre

Réalisation

Videz les truites, lavez-les et essuyez-les. Mettez la farine dans une assiette creuse. Passez les truites dans la farine, secouez-les pour en éliminer l'excédent. Faites chauffer l'huile dans une poêle et ajoutez 40 g de beurre. Lorsqu'il est fondu, faites cuire les truites à feu doux 5 minutes de chaque côté. Retirez-les de la poêle, dressez-les sur les assiettes, salez, poivrez et gardez au chaud. Jetez le beurre de cuisson et essuyez la poêle. Faites fondre le reste de beurre et faites dorer les amandes pendant 2 minutes à feu doux, le beurre ne doit pas brûler. Lorsqu'elles sont dorées, versez-les sur les truites avec le beurre de cuisson. Servez aussitôt.

TRUITES GRILLÉES AU LARD

Préparation : 15 min – Cuisson : 15 min

2 belles truites • 6 tranches fines de poitrine fumée • 40 g de beurre • ½ bouquet de persil • 1 échalote • sel, poivre

Réalisation

Videz, lavez et essuyez les truites. Épluchez l'échalote, effeuillez le persil et hachez-les. Incorporez ce hachis au beurre en travaillant à la fourchette, salez et poivrez. Farcissez-en les truites. Entourez chaque truite de trois tranches de poitrine fumée

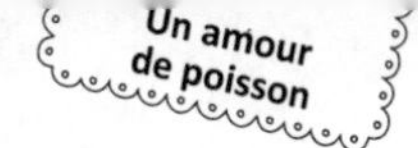

en les maintenant avec de la ficelle. Faites cuire les truites pendant 15 minutes les retournant à mi-cuisson.

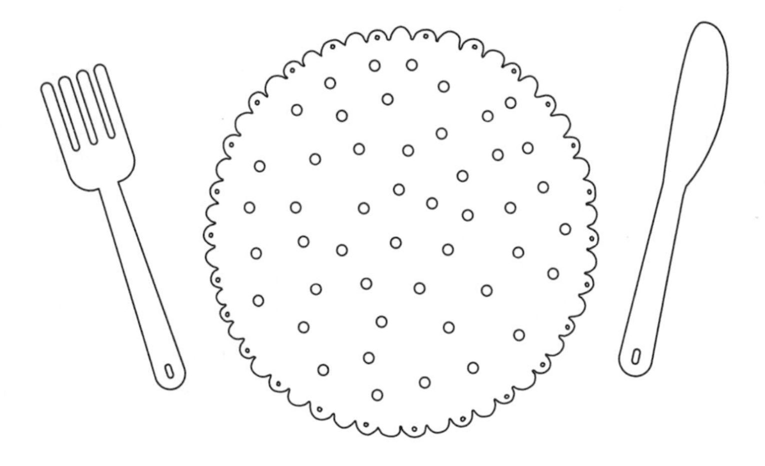

Ô les beaux
légumes

ARTICHAUTS À LA BARIGOULE

Préparation : 10 min – Cuisson : 35 min

6 fonds d'artichaut • 100 g de lardons • 1 carotte • 2 oignons • 1 citron • 10 cl de vin blanc sec • 1 cuil. à café de graines de coriandre • sel, poivre

Réalisation

Pressez le citron. Épluchez les carottes et les oignons, hachez-les grossièrement. Mettez-les dans une cocotte avec le jus de citron, le vin blanc, les lardons, les graines de coriandre, du sel et du poivre. Faites cuire à très petit feu pendant environ 30 minutes. Les carottes doivent être fondantes. Coupez les fonds d'artichaut en quatre, mettez-les dans la cocotte, mélangez et laissez-les réchauffer 5 minutes. Servez chaud, tiède ou encore froid.

Coup de cœur : *vous pouvez utiliser des fonds d'artichaut en boîte ou surgelés que vous ferez cuire dans de l'eau bouillante salée pendant 15 minutes avant de les accommoder.*

CAROTTES À L'ANIS

Préparation : 10 min – Cuisson : 15 min

400 g de carottes • 1 cuil. à soupe d'huile d'olive • 2 étoiles d'anis • 5 cl de crème • sel, poivre

Réalisation

Pelez les carottes et coupez-les en fines rondelles. Préchauffez le four à 180 °C (th. 6). Versez l'huile dans deux petites cocottes, répartissez les carottes et les étoiles d'anis, salez, poivrez, ajoutez une demi-cuillerée à soupe d'eau, mélangez. Couvrez et

enfournez. Laissez cuire pendant environ 15 minutes. Ajoutez la crème dans les cocottes au moment de servir.

CAROTTES CONFITES AUX ÉPICES

Préparation : 5 min – Cuisson : 25 min

400 g de carottes en rondelles • 1 cuil. à soupe de gingembre émincé • 1 cuil. à soupe de coriandre ciselée • 1½ cuil. à soupe d'huile d'olive • sel, poivre

Réalisation

Mettez les rondelles de carotte dans une casserole, ajoutez le gingembre, arrosez-les d'huile d'olive, salez, poivrez et recouvrez-les d'eau. Faites cuire à feu très doux pendant environ 25 minutes. Les carottes doivent être confites dans leur jus. Saupoudrez de coriandre. Servez chaud ou froid.

CAROTTES GLACÉES AU GINGEMBRE

Préparation : 10 min – Cuisson : 35 min

6 carottes • 1 cuil. à café de gingembre en poudre • 1 cuil. à soupe de sirop d'érable • 2 cuil. à soupe d'huile d'olive • sel, poivre

Réalisation

Pelez les carottes et coupez-les en rondelles fines. Faites-les cuire dans une casserole d'eau bouillante salée pendant 15 à 20 minutes. Elles doivent rester légèrement fermes. Égouttez-les. Dans une sauteuse, faites revenir les rondelles de carotte dans l'huile d'olive. Ajoutez ensuite le sirop d'érable et le gingembre. Prolongez la cuisson jusqu'à ce que les carottes soient bien glacées et caramélisées. Salez et poivrez.

Coup de cœur : *servez ces carottes avec du veau ou du poulet.*

CASSOLETTES DE CHAMPIGNONS À LA CRÈME

Préparation : 10 min – Cuisson : 20 min

400 g de champignons de Paris • ½ citron • 2 jaunes d'œufs • 12 cl de crème • 15 g de beurre • sel, poivre

Réalisation

Pressez le demi-citron. Lavez et essuyez les champignons, émincez-les et citronnez-les. Faites chauffer le beurre dans une sauteuse et faites cuire les champignons à feu doux pendant 10 minutes. Arrêtez la cuisson lorsque l'eau est évaporée. Laissez refroidir.

Répartissez les champignons dans deux cassolettes. Battez les jaunes d'œufs avec la crème, du sel et du poivre, et versez sur les cassolettes. Passez au four à 240 °C (th. 8) pendant 10 minutes et servez.

CHOU BLANC ET CAROTTES AUX ÉPICES

Préparation : 20 min – Cuisson : 2 min

100 g de chou blanc • 4 petites carottes • 2 cuil. à soupe de miel • 2 cuil. à soupe de vinaigre de cidre • 2 cuil. à café de curry en poudre • 4 cuil. à soupe d'huile d'olive • 8 branches de coriandre • sel, poivre

Réalisation

Pelez les carottes, râpez-les ainsi que le chou et mettez-les dans une assiette creuse. Versez le vinaigre dans une petite casserole, ajoutez le miel et le curry, du sel et du poivre. Portez à ébullition puis versez sur le chou. Mélangez et laissez refroidir puis arrosez d'un peu d'huile et parsemez de feuilles de coriandre ciselées.

COCOTTES D'OIGNONS GRATINÉES AU PORTO

Préparation : 15 min – Cuisson : 35 min

400 g d'oignons • 50 cl de bouillon de bœuf • 15 g de beurre • 1½ cuil. à soupe de farine • 1 jaune d'œuf • 1 cuil. à soupe de porto rouge • ¼ de baguette de pain • 50 g de gruyère râpé

Réalisation

Épluchez et émincez finement les oignons. Faites fondre le beurre dans une cocotte, faites fondre les oignons à feu doux pendant 10 minutes en mélangeant souvent. Saupoudrez-les de farine et mélangez, puis arrosez de bouillon. Couvrez la cocotte et faites cuire pendant 20 minutes. Détaillez la baguette de pain en tranches et toastez-les. Battez le jaune d'œuf dans un bol avec le porto. Hors du feu, versez dans le potage et mélangez. Répartissez dans deux petites cocottes, déposez à la surface du bouillon des tranches de pain, saupoudrez de gruyère râpé et passez sous le gril du four pendant 5 minutes pour que le fromage dore. Servez aussitôt.

COCOTTES DE FENOUIL ET DE TOMATES

Préparation : 10 min – Cuisson : 35 min

2 bulbes de fenouil • 3 tomates • 1 oignon • 1 gousse d'ail • 2 cuil. à soupe d'huile d'olive • 5 cl de vin blanc • sel, poivre

Réalisation

Épluchez l'oignon et la gousse d'ail et hachez-les finement. Pelez les tomates après les avoir ébouillantées, épépinez-les et coupez-les en quartiers. Retirez les feuilles abîmées des bulbes de fenouil, émincez-les. Faites chauffer l'huile dans une cocotte, faites revenir l'ail et l'oignon pendant 3 minutes en mélangeant, puis ajoutez les légumes et le vin blanc. Salez, poivrez et laissez mijoter pendant 3 minutes. Vérifiez l'assaisonnement, répartissez dans deux mini cocottes et servez chaud.

CŒURS DE POLENTA AU THYM

Préparation : 10 min – Cuisson : 15 min

100 g de polenta précuite • 25 cl de crème fleurette • 40 g de beurre • 2 brins de thym • sel, poivre

Réalisation

Tapissez un plat rectangulaire de papier d'aluminium. Versez la crème dans une casserole, portez-la à ébullition et jetez la polenta en pluie, salez, poivrez, ajoutez le thym effeuillé. Laissez cuire pendant 5 minutes sans cesser de mélanger. Dès que la polenta est cuite, versez-la dans le plat, égalisez avec une spatule et laissez refroidir. Démoulez la polenta, découpez-la en forme de cœurs avec un emporte-pièce. Faites fondre le beurre dans une grande poêle et faites dorer les cœurs de polenta pendant 5 minutes de chaque côté.

COURGETTES FARCIES AU RIZ, AUX HERBES ET AU PARMESAN

Préparation : 10 min – Cuisson : 45 min

2 courgettes rondes • 50 g de riz long • ½ bouquet de persil plat • ½ bouquet de ciboulette • 2 branches de basilic • 2 branches de coriandre • 25 g de pistaches nature concassées • 50 g de parmesan • 1 gousse d'ail • 3 cuil. à soupe d'huile d'olive • sel, poivre

Réalisation

Faites cuire le riz à l'eau bouillante salée pendant 10 minutes. Égouttez-le. Lavez les herbes. Épluchez l'ail. Hachez l'ail et les herbes avec un peu de sel et de poivre. Mélangez dans une terrine le riz cuit, le hachis d'herbes, les pistaches et le parmesan.

Préchauffez le four à 210 °C (th. 7). Faites cuire les courgettes pendant 5 minutes à l'eau bouillante salée. Rafraîchissez-les, coupez-leur un chapeau, retirez un peu de pulpe, ajoutez-la à la préparation. Farcissez les courgettes évidées, recouvrez-les de leur chapeau, mettez-les dans un plat à four, arrosez-les d'un peu d'huile d'olive et faites-les cuire pendant 30 minutes au four.

COURGETTES PERSILLÉES

Préparation : 5 min – Cuisson : 15 min

400 g de courgettes • 1½ gousse d'ail • quelques brins de persil plat • 2 cuil. à soupe d'huile d'olive • sel, poivre

Réalisation

Lavez, essuyez les courgettes et coupez-les en tranches très fines, si possible avec une mandoline. Préchauffez le four à 180 °C (th. 6). Pelez les gousses d'ail, écrasez-les au presse-ail, mélangez-les à l'huile d'olive. Versez l'huile parfumée dans deux petites cocottes, ajoutez les rondelles de courgette, salez, poivrez, mélangez, couvrez et enfournez. Faites cuire pendant 15 minutes environ. Vérifiez la cuisson des courgettes qui doivent rester fermes. Ciselez finement les feuilles de persil, parsemez-en les cocottes. Servez chaud ou tiède.

CRÊPES DE POMMES DE TERRE VONASSIENNES

Préparation : 15 min – Cuisson : 40 min

400 g de grosses pommes de terre • 3 œufs • 4 cl de lait • 1½ cuil. à soupe de farine • 5 cl de crème • 25 g de beurre • sel, poivre

Réalisation

Pelez les pommes de terre, lavez-les, mettez-les dans une casserole d'eau salée et faites-les cuire pendant 20 minutes. Égouttez-les et réduisez-les en purée. Ajoutez les œufs entiers, le lait, la crème, la farine, du sel et du poivre. Mélangez bien pour obtenir une pâte épaisse et homogène. Faites fondre une noisette de beurre dans une poêle à blinis, versez une petite louche de pâte et faites cuire pendant 2 minutes, retournez la crêpe, prolongez la cuisson de 2 minutes. Renouvelez l'opération jusqu'à épuisement de la pâte. Servez les crêpes chaudes.

Coup de cœur : *servez ces crêpes avec une volaille rôtie.*

ÉCRASÉE DE POMMES DE TERRE À L'HUILE D'OLIVE

Préparation : 15 min – Cuisson : 20 min

400 g de pommes de terre à purée • 2 branches de persil plat • 4 cuil. à soupe d'huile d'olive • sel, poivre du moulin

Réalisation

Pelez les pommes de terre, lavez-les et coupez-les en deux. Mettez-les dans une grande casserole et recouvrez-les d'eau.

Ajoutez un peu de sel. Portez à ébullition puis baissez le feu et laissez cuire à petits bouillons pendant 20 minutes. Vérifiez la cuisson avec la lame d'un couteau qui doit s'enfoncer sans résistance. Égouttez soigneusement les pommes de terre et versez-les dans une assiette. Ciselez finement le persil avec des ciseaux. Écrasez les pommes de terre à la fourchette. Versez l'huile d'olive en filet, poivrez généreusement, salez peu, ajoutez le persil, puis écrasez à nouveau. Servez bien chaud.

FEUILLETÉS DE LÉGUMES

Préparation : 20 min – Cuisson : 40 min

½ rouleau de pâte feuilletée • 1 jaune d'œuf • 1 cuil. à soupe de lait • 8 petits oignons • 8 jeunes carottes • 4 navets nouveaux • ½ botte de cresson • 15 cl de crème fleurette • ¼ de citron • sel, poivre

Réalisation

Épluchez les légumes, faites-les cuire à l'eau bouillante salée pendant 15 à 20 minutes ; ils doivent rester légèrement croquants. Préchauffez le four à 210 °C (th. 7). Graissez la plaque du four. Détaillez la demi-pâte feuilletée en deux rectangles de même dimension. Dorez-les avec le jaune d'œuf délayé dans le lait. Faites-les cuire sur la plaque du four pendant 15 minutes. Réservez au chaud. Épluchez le cresson, hachez-le. Versez la crème dans une casserole, salez, poivrez, ajoutez le cresson et un filet de jus de citron. Réchauffez doucement. Répartissez les légumes sur deux assiettes, arrosez de sauce, garnissez d'un feuilleté. Servez chaud.

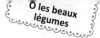

Coup de cœur : *si vous avez le temps, taillez les carottes et les navets en forme d'olives, la présentation sera plus raffinée. Servez ces feuilletés en entrée ou en accompagnement d'un poisson poché ou d'une volaille rôtie.*

FONDUE DE FENOUIL À L'ANIS

Préparation : 10 min – Cuisson : 40 min

4 fenouils • 1 cuil. à soupe de graines d'anis • 2 cuil. à soupe d'huile d'olive • sel, poivre

Réalisation

Lavez les fenouils, essuyez-les. Coupez-les très finement (avec une râpe ou au couteau). Versez l'huile d'olive dans une cocotte, ajoutez le fenouil, les graines d'anis, salez, poivrez, mélangez bien. Posez sur feu doux et couvrez. Laissez cuire pendant 40 minutes environ, en surveillant de temps à autre. Ajoutez une cuillerée à soupe d'eau si les légumes attachent. Vérifiez l'assaisonnement, versez dans un plat de service et servez chaud, tiède ou froid.

Coup de cœur : *servez avec des escalopes de veau, des côtes de porc, du poisson grillé.*

HARICOTS VERTS À LA PROVENÇALE

Préparation : 10 min – Cuisson : 15 min

400 g de haricots verts frais • 1 tomate • 2 petites échalotes • 2 cuil. à soupe d'huile d'olive • ½ cuil. à café de thym effeuillé • sel, poivre

Réalisation

Effilez les haricots verts. Pelez la tomate, ôtez les graines et coupez la chair en petits dés. Épluchez et hachez les échalotes. Versez l'huile d'olive dans une cocotte, mettez les dés de tomate, les échalotes et laissez dorer à feu moyen pendant 3 minutes. Ajoutez les haricots, du sel, du poivre et le thym. Mélangez bien, arrosez de 5 cl d'eau et fermez la cocotte. Laissez cuire environ 10 minutes. Vérifiez la cuisson en goûtant un haricot. Il doit être légèrement ferme. Versez dans le plat de service et servez bien chaud.

MACARONI AU FROMAGE

Préparation : 10 min – Cuisson : 20 min

120 g de macaroni • 60 g de fromage râpé • 6 cuil. à soupe de crème épaisse • 20 g de beurre • huile d'olive • sel, poivre

Réalisation

Faites cuire les macaroni dans une casserole d'eau bouillante salée additionnée d'un filet d'huile. Faites chauffer à feu doux en mélangeant. Versez dans un plat à gratin, saupoudrez avec le reste de fromage et parsemez de noisettes de beurre. Faites gratiner pendant 5 minutes. Servez bien chaud.

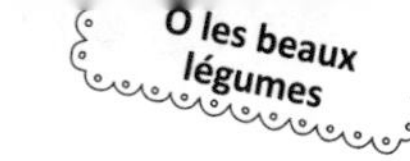

MARMITE DE LÉGUMES NOUVEAUX

Préparation : 30 min – Cuisson : 30 min

6 petites carottes nouvelles avec quelques centimètres de fanes • 6 petits navets nouveaux avec quelques centimètres de vert • 6 petites pommes de terre nouvelles • 100 g de petits oignons grelots • 90 g de pois gourmands • 90 g de haricots verts • 250 g d'asperges vertes, liées en bottillon • 2 cuil. à soupe de sucre en poudre • 60 g de beurre • 2 branches de cerfeuil • sel, poivre

Réalisation

Lavez et essuyez les légumes. Dans une sauteuse avec couvercle, mettez les carottes, les navets, les pommes de terre et les oignons, le sucre et 40 g de beurre. Salez et poivrez. Mélangez et couvrez juste d'eau. Faites cuire à couvert pendant 10 à 15 minutes : les légumes doivent être tendres et l'eau évaporée. Retirez les légumes et réservez-les. Préparez un grand saladier d'eau glacée. Faites bouillir une grande casserole d'eau salée. Faites cuire les haricots verts pendant 4 minutes. Retirez-les avec une écumoire et plongez-les dans l'eau glacée pour les maintenir croquants. Égouttez et réservez. Faites cuire les pois gourmands de la même façon en ayant changé l'eau de cuisson. Remplissez d'eau une petite casserole profonde et faites-la bouillir. Ajoutez du sel et le bottillon d'asperges en le mettant debout, les pointes en l'air. Faites cuire environ 3 minutes jusqu'à ce que le bas des pointes soit croquant. Rajoutez de l'eau bouillante pour couvrir les pointes et poursuivre la cuisson pendant 2 à 4 minutes. Égouttez les asperges avec l'écumoire et plongez-les dans l'eau glacée pour les maintenir croquants. Égouttez et réservez. Mettez tous les légumes dans une grande sauteuse, ajoutez le reste de beurre et réchauffez-les à feu doux en mélangeant délicatement pendant 2 minutes. Poivrez et servez chaud. Saupoudrez de cerfeuil ciselé.

Coup de cœur : *soyez très attentif à la cuisson des légumes qui ne doivent pas se défaire.*

MINI COCOTTES DE POMMES DE TERRE À LA DAUPHINOISE

Préparation : 10 min – Cuisson : 45 min

400 g de pommes de terre • 15 cl de lait • 1 gousse d'ail • 50 g de fromage râpé • 20 g de beurre • noix de muscade râpée • sel, poivre

Réalisation

Préchauffez le four à 180 °C (th. 6). Pelez la gousse d'ail, écrasez-les au presse-ail. Beurrez généreusement deux petites cocottes. Pelez et lavez les pommes de terre, essuyez-les et coupez-les en rondelles fines. Mettez-les dans une jatte, ajoutez l'ail écrasé, du sel, du poivre, un peu de noix de muscade et les trois quarts du fromage râpé. Répartissez la préparation dans les cocottes, arrosez de lait, recouvrez avec le reste de fromage râpé, parsemez de petits morceaux de beurre et enfournez. Laissez cuire pendant 45 minutes.

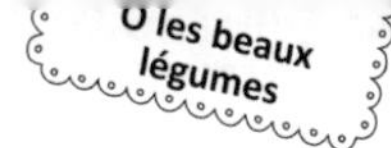

MINI TAJINES DE LÉGUMES AUX ÉPICES

Préparation : 15 min – Cuisson : 45 min

½ aubergine • 1 courgette • 1 tomate • 1 oignon • 1 carotte • ½ bulbe de fenouil • 1 citron confit • 2 fonds d'artichaut • 1 cuil. à café de sucre en poudre • ½ cuil. à café de cumin en poudre • ½ cuil. à café de cannelle en poudre • ½ cuil. à café de gingembre en poudre • ½ cuil. à café de graines de coriandre • ¼ de cuil. à café de piment de Cayenne • 15 cl de bouillon de légumes • 1 cuil. à soupe d'huile d'olive • 2 branches de coriandre • sel, poivre

Réalisation

Lavez la courgette, l'aubergine et le fenouil, détaillez-les en petits morceaux. Pelez et épépinez la tomate, coupez-la en dés, pelez et émincez l'oignon. Pelez la carotte et coupez-la en gros bâtonnets. Coupez les fonds d'artichaut en quatre. Coupez le citron confit en petits dés. Mélangez dans un bol toutes les épices avec du sel, du poivre et le sucre. Faites chauffer l'huile d'olive dans une sauteuse, faites revenir les légumes pendant 5 minutes, puis répartissez-les dans deux petits plats à tajine. Parsemez d'épices, de dés de citron confit, arrosez de bouillon, couvrez et enfournez. Laissez cuire pendant 40 minutes. Parsemez de feuilles de coriandre ciselées avant de servir.

NAVETS GLACÉS

Préparation : 10 min – Cuisson : 30 min

6 petits navets ronds • 4 cl de bouillon de légumes • 25 g de beurre • ½ cuil. à soupe de sucre • sel, poivre

Réalisation

Pelez les navets et retirez les fanes. Mettez-les dans de l'eau bouillante salée, laissez-les cuire pendant 15 à 20 minutes après la reprise de l'ébullition. Égouttez-les. Faites fondre le beurre dans une casserole, ajoutez le sucre, les navets, un peu de sel et de poivre, et le bouillon. Laissez cuire à feu très doux en remuant régulièrement la casserole pendant 10 minutes.

Coup de cœur : *servez avec un rôti de veau ou des magrets de canard.*

PAIN DE LÉGUMES EN GELÉE

Préparation : 15 min – Cuisson : 10 min – Réfrigération : 8 h

150 g de carottes nouvelles • 150 g de haricots verts extra fins • 1 botte d'asperges vertes • ½ sachet de gelée instantanée

Réalisation

Effilez les haricots verts. Pelez les carottes, coupez-les en bâtonnets de la longueur des haricots. Retirez l'extrémité fibreuse des asperges. Faites cuire ces légumes séparément dans de l'eau bouillante salée pendant 8 minutes. Rafraîchissez-les et égouttez-les sur un torchon. Préparez la gelée selon le mode d'emploi indiqué sur le paquet, laissez-la refroidir. Versez au fond d'un petit moule 1 cm de gelée. Placez le moule au réfrigérateur pour 15 minutes. Déposez une couche de carottes, puis une couche de haricots verts, puis une couche d'asperges en variant le sens des pointes. Arrosez de gelée, recouvrez d'un film alimentaire et posez un poids sur le moule. Placez au réfrigérateur pour 8 heures. Démoulez sur un plat long.

Coup de cœur : *servez avec un coulis de tomates aux herbes pour accompagner une viande froide.*

PETITES COCOTTES D'ENDIVES À L'ÉTOUFFÉE

Préparation : 5 min – Cuisson : 1 h

400 g d'endives • 30 g de beurre • ½ citron • sel, poivre

Réalisation

Ôtez les feuilles flétries des endives et retirez le cône situé à la base à l'aide d'un couteau pointu. Beurrez généreusement deux feuilles d'aluminium aux dimensions des cocottes. Allumez le four à 150 °C (th. 5). Faites fondre le reste de beurre dans les cocottes, répartissez les endives, salez, poivrez et arrosez de jus de citron. Recouvrez-les de papier d'aluminium beurré et enfournez. Laissez cuire pendant 1 heure.

PETITES COCOTTES DE LENTILLES AU CURRY

Préparation : 10 min – Cuisson : 40 min

100 g de lentilles vertes • 100 g de lentilles corail • 1 carotte • ½ oignon • ½ gousse d'ail • 2 clous de girofle • 50 cl de bouillon de volaille • ½ feuille de laurier • ½ cuil. à soupe de curry • 5 cl de crème fraîche • quelques brins de coriandre • sel, poivre

Réalisation

Pelez la carotte et coupez-la en rondelles. Épluchez l'oignon et piquez-le de clous de girofle. Épluchez et émincez la gousse d'ail. Mettez les lentilles dans une cocotte, ajoutez les carottes, l'oignon, le laurier et le bouillon. Couvrez et laissez cuire à feu doux pendant 40 minutes. Égouttez les lentilles, retirez la feuille de laurier et l'oignon. Incorporez la crème, le curry, du sel et du poivre, mélangez bien et versez dans deux petites cocottes préalablement chauffées. Parsemez de feuilles de coriandre et servez bien chaud.

POÊLÉE DE LÉGUMES AU GINGEMBRE

Préparation : 10 min – Cuisson : 35 min

200 g de carottes • 1 courgette • 1 oignon • 1 navet • 1 cuil. à soupe d'huile d'olive • 1 cuil. à soupe de fond de volaille • ½ cuil. à soupe de gingembre moulu • sel, poivre

Réalisation

Pelez la courgette, coupez-la en rondelles. Coupez les extré-mités des carottes, détaillez-les en rondelles. Pelez le navet, coupez-le en dés. Épluchez l'oignon, émincez-le. Faites chauf-

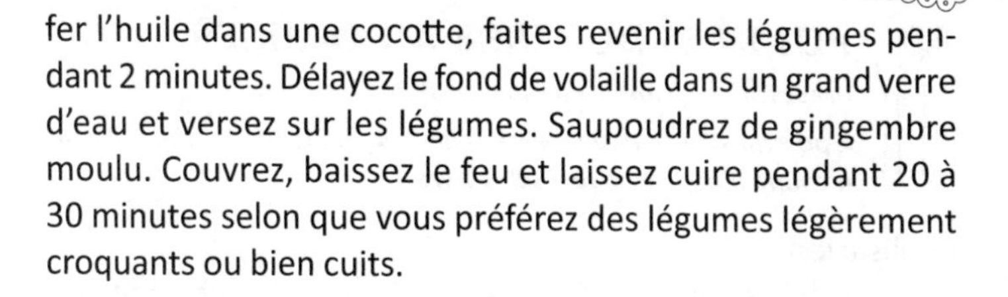

fer l'huile dans une cocotte, faites revenir les légumes pendant 2 minutes. Délayez le fond de volaille dans un grand verre d'eau et versez sur les légumes. Saupoudrez de gingembre moulu. Couvrez, baissez le feu et laissez cuire pendant 20 à 30 minutes selon que vous préférez des légumes légèrement croquants ou bien cuits.

POMMES DE TERRE SOUFFLÉES

Préparation : 20 min – Cuisson : 40 min

2 grosses pommes de terre d'environ 200 g • 2 portions de fromage fondu • 1 tranche de jambon • sel, poivre

Réalisation

Lavez les pommes de terre sans les peler. Faites-les cuire pendant 20 à 25 minutes et laissez-les tiédir. Découpez une calotte sur la partie supérieure des pommes de terre. Retirez la pulpe avec une petite cuillère, mettez-la dans un saladier. Ciselez le jambon, ajoutez-le ainsi que le fromage fondu. Mélangez bien, salez et poivrez. Préchauffez le four à 210 °C (th. 7). Remplissez les pommes de terre avec la farce et déposez-les dans un plat à gratin. Mettez au four pendant 15 minutes, faites gratiner 5 minutes sous le gril.

POMMES DE TERRE AU LAURIER

Préparation : 5 min – Cuisson : 45 min

4 pommes de terre de même taille • 4 feuilles de laurier • 4 cuil. à soupe d'huile d'olive • sel, poivre

Réalisation

Préchauffez le four à 210 °C (th. 7). Coupez les pommes de terre en deux dans le sens de la longueur. Faites une incision au centre de la pulpe et introduisez une demi-feuille de laurier. Salez, poivrez, arrosez d'un peu d'huile d'olive. Déposez les demi-pommes de terre sur la plaque du four et faites cuire pendant 45 minutes. Dégustez chaud ou tiède.

POMMES DE TERRE EN PAPILLOTES

Préparation : 10 min – Cuisson : 30 min

400 g de pommes de terre • 2 petites échalotes • 2 cuil. à soupe de crème épaisse • 2 petits-suisses • ½ bouquet de ciboulette • sel, poivre

Réalisation

Faites cuire les pommes de terre avec leur peau pendant 20 minutes, puis pelez-les et coupez-les en rondelles. Épluchez et hachez les échalotes. Malaxez les petits-suisses et la crème avec les échalotes et un peu de sel et de poivre. Préchauffez le four à 210 °C (th. 7). Coupez deux carrés de papier d'aluminium ménager, répartissez dessus les rondelles de pomme de terre et la crème. Refermez les papillotes et passez au four pendant 10 minutes. Ouvrez les papillotes et parsemez de ciboulette ciselée au moment de servir.

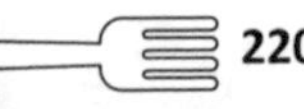

POMMES DE TERRE RATTES AU THYM

Préparation : 15 min – Cuisson : 20 min

500 g de pommes de terre rattes • 1 cuil. à soupe de thym effeuillé • 3 cuil. à soupe d'huile d'olive • sel de Guérande

Réalisation

Lavez les pommes de terre, ne les épluchez pas. Essuyez-les. Versez l'huile dans une cocotte à fond épais. Faites chauffer, jetez-y les pommes de terre, et faites-les sauter à feu vif pendant 3 minutes. Baissez le feu, ajoutez le thym, mélangez, couvrez et laissez cuire pendant 10 à 12 minutes en remuant de temps en temps. Versez dans un plat, saupoudrez de sel de Guérande.

Coup de cœur : *vous pouvez aussi utiliser pour cette recette des pommes de terre « grenailles ». Ce plat donne une touche originale à toutes les viandes rôties.*

RIZ AU SAFRAN

Préparation : 10 min – Cuisson : 30 min

150 g de riz rond • 1 oignon • 1 dose de safran • 2 clous de girofle • ½ bâton de cannelle • 2 graines de cardamome • 1½ cuil. à soupe d'huile • 30 g de beurre • ½ cube de bouillon de volaille • sel, poivre

Réalisation

Versez 25 cl d'eau sur le demi-cube de bouillon de volaille. Pelez l'oignon et hachez-le. Faites chauffer l'huile dans une cocotte, faites revenir l'oignon jusqu'à ce qu'il soit transparent, puis ajoutez le riz et prolongez la cuisson en mélangeant. Arrosez avec le bouillon, ajoutez les épices, salez, poivrez, baissez le feu et laissez cuire pendant 20 minutes. Incorporez le beurre par petits morceaux en fin de cuisson. Servez bien chaud.

ROSACES DE POMMES DE TERRE

Préparation : 5 min – Cuisson : 15 min

2 grosses pommes de terre • 2 cuil. à soupe de graisse de canard • sel

Réalisation

Pelez les pommes de terre, lavez-les, séchez-les et coupez-les en rondelles très fines. Graissez généreusement deux poêles à blinis avec la graisse de canard, faites chauffer et déposez les tranches de pomme de terre en rosace en les faisant se chevaucher. Faites cuire à feu moyen en secouant les poêles de temps en temps pour que les pommes de terre n'attachent pas. Retournez au bout de 10 minutes et laissez dorer sur l'autre face pendant 5 minutes. Salez avant de déposer sur les assiettes.

RÖSTIS AUX LARDONS FUMÉS

Préparation : 15 min – Cuisson : 15 min

2 grosses pommes de terre de 200 g environ • 60 g de beurre • 200 g d'allumettes de lard fumé • poivre

Réalisation

Pelez les pommes de terre et râpez-les. Faites fondre le beurre dans une petite poêle. Mélangez deux cuillerées à soupe de beurre aux pommes de terre, incorporez les lardons, poivrez, mélangez et formez entre vos mains deux galettes. Faites dorer les galettes à feu vif dans la poêle, retournez-les, baissez le feu et prolongez la cuisson pendant 10 minutes. Dégustez avec une salade verte.

Coup de cœur : *pour une grosse faim, ajoutez un œuf sur le plat.*

TAGLIATELLES AUX COURGETTES ET AU SAFRAN

Préparation : 10 min – Cuisson : 15 min

150 g de tagliatelles • 300 g de courgettes • 1 oignon • ½ dose de safran • 12 cl de crème fraîche • 10 g de beurre • 2 branches de persil plat • 35 g de parmesan râpé • huile • sel, poivre

Réalisation

Épluchez l'oignon et hachez-le. Lavez les courgettes, essuyez-les, puis détaillez-les en bâtonnets. Faites fondre le beurre dans une casserole, faites revenir l'oignon pendant 5 minutes. Ajoutez les bâtonnets de courgette et laissez cuire en mélangeant souvent pendant 5 minutes. Versez la crème et le safran, salez et poivrez. Laissez réduire doucement. Faites bouillir 1,5 litre d'eau, salez, ajoutez un filet d'huile et mettez les tagliatelles en mélangeant jusqu'à la reprise de l'ébullition. Laissez cuire environ 8 minutes, puis égouttez les pâtes. Versez les tagliatelles dans un plat creux, nappez-les de sauce aux courgettes, mélangez, ajoutez le parmesan, mélangez à nouveau et parsemez de feuilles de persil ciselées.

TATINS D'ÉCHALOTES

Préparation : 10 min – Cuisson : 45 min

½ rouleau de pâte brisée • 200 g d'échalotes • 25 cl de lait • 2 cuil. à soupe de sucre • 40 g de beurre • sel, poivre

Réalisation

Épluchez les échalotes, mettez-les dans une casserole et recouvrez-les de lait. Faites-les cuire pendant 10 minutes puis égouttez-les. Faites fondre 30 g de beurre dans une casserole, ajoutez les échalotes, saupoudrez de sucre et laissez confire à feu très doux pendant 30 minutes en mélangeant avec précaution. Salez, poivrez. Préchauffez le four à 180 °C (th. 6). Beurrez légèrement deux moules à tarte individuels. Découpez dans le rouleau de pâte deux cercles légèrement plus grands que les moules. Mettez les échalotes bien serrées les unes contre les autres au fond de chaque moule. Recouvrez-les de pâte. Faites cuire 15 à 20 minutes. Démoulez les tatins en les retournant sur deux petites assiettes individuelles.

TIAN DE LÉGUMES

Préparation : 15 min – Cuisson : 50 min

3 courgettes • 30 g de tomates séchées • 30 g d'olives noires dénoyautées • 2 branches de coriandre • 1 cuil. à café de curry • 30 g de parmesan • 2 œufs • 20 g de farine • 10 g de beurre • 2 cuil. à soupe de lait • 2 cuil. à soupe de crème fraîche • 1 cuil. à soupe d'huile d'olive • sel, poivre

Réalisation

Lavez et essuyez les courgettes, coupez-les en gros dés et faites-les revenir à feu doux dans une poêle avec l'huile d'olive. Pendant ce temps, battez les œufs en omelette dans un saladier. Ajoutez la farine, la crème et le lait, mélangez bien. Coupez les olives et les tomates séchées en morceaux. Ciselez la coriandre. Préchauffez le four à 150 °C (th. 5). Beurrez un plat à gratin. Quand les courgettes sont bien dorées, ajoutez les morceaux d'olive, de tomate, la coriandre, le curry, du poivre et un peu de sel. Mélangez bien et retirez du feu. Saupoudrez de parmesan et ajoutez la préparation œuf-farine-lait. Versez la préparation dans un plat à gratin. Enfournez et laissez cuire 30 à 40 minutes. Servez aussitôt.

TIMBALE DE LÉGUMES AU CITRON CONFIT

Préparation : 20 min – Cuisson : 35 min

6 petites carottes • 1 bulbe de fenouil • 6 petits navets • 3 pommes de terre • 2 petites courgettes • 1 petit bouquet de persil • 2 cm de gingembre frais • 1 gros citron confit • 2 cuil. à soupe d'huile d'olive • sel, poivre

Réalisation

Émincez le fenouil. Versez une cuillerée à soupe d'huile d'olive dans une sauteuse, faites revenir le fenouil à feu modéré pendant 5 minutes. Pendant ce temps, épluchez et coupez les autres légumes en julienne. Ajoutez au fenouil les carottes, les navets et les pommes de terre avec le reste d'huile. Salez modérément et poivrez. Poursuivez la cuisson pendant 5 minutes. Mettez enfin les courgettes et maintenez la cuisson à couvert pendant 5 minutes. Découpez le citron confit en petits dés. Hachez le persil. Pelez et râpez le gingembre.

Ajoutez aux légumes le persil haché, le citron confit et saupoudrez de gingembre. Faites cuire encore à feu doux pendant 10 à 15 minutes, en mélangeant régulièrement.

Coup de cœur : *le citron confit étant salé, salez peu pendant la cuisson. Vous pouvez utiliser du gingembre en poudre si vous ne trouvez pas de gingembre frais, mais il est moins parfumé.*

À l'heure
des douceurs

AMOUR DE CRÈME À LA ROSE

Préparation : 10 min – Cuisson : 3 min

40 cl de lait • 2 cuil. à soupe de fécule de maïs • 1 cuil. à soupe d'eau de rose • 30 g de sucre • 2 pétales de rose cristallisés

Réalisation

Délayez la fécule avec le lait dans une casserole et portez à ébullition. Prolongez la cuisson jusqu'à ce que le mélange épaississe. Retirez du feu, ajoutez le sucre et l'eau de rose. Mélangez bien et versez dans deux coupes. Placez au frais jusqu'au moment de servir. Déposez un pétale de rose sur chaque coupe.

BANANES RÔTIES À LA CANNELLE

Préparation : 10 min – Cuisson : 15 min

2 bananes • 25 g de beurre • 15 g de sucre en poudre • ½ cuil. à café de cannelle en poudre • 3 cl de rhum blanc

Réalisation

Faites fondre le beurre dans une poêle à revêtement antiadhésif. Pendant ce temps, épluchez les bananes, coupez-les en deux dans le sens de la longueur. Saupoudrez-les de cannelle et mettez-les dans la poêle. Saupoudrez de sucre et laissez dorer à feu doux pendant 10 minutes. Versez le rhum dans la poêle, éteignez le feu et flambez les bananes. Servez chaud.

BRICKS AU MIEL

Préparation : 20 min – Cuisson : 15 min

5 feuilles de brick • 50 g de noisettes • 50 g d'amandes • 25 g de pignons • 50 g de pistaches • ½ orange non traitée • 1 cuil. à soupe de miel • 3 cuil. à soupe d'eau de fleur d'oranger • 1 jaune d'œuf • 200 g de sucre • 75 g de beurre

Réalisation

Prélevez le zeste de l'orange avec un couteau économe, râpez-le finement. Versez le sucre dans une casserole et arrosez-le avec 5 cl d'eau. Portez à ébullition puis ajoutez le miel, l'eau de fleur d'oranger et le zeste d'orange. Laissez cuire ce sirop jusqu'à épaississement. Réservez. Faites griller à sec dans une poêle à revêtement antiadhésif les amandes, les noisettes et les pignons. Mixez-les, puis mélangez-les avec le jaune d'œuf et une cuillerée à soupe de sirop. Pétrissez cette pâte à la main et façonnez des petits rouleaux en forme de cigarettes. Coupez les feuilles de brick en deux. Déposez au centre de chaque demi-feuille une cigarette de pâte. Enveloppez-la. Préchauffez le four à 180 °C (th. 6). Recouvrez la plaque du four de papier sulfurisé. Faites fondre le beurre dans une casserole. Badigeonnez chaque cigarette de beurre avec un pinceau et déposez-les sur la plaque. Enfournez et laissez cuire pendant 15 minutes. Concassez les pistaches. Laissez refroidir un peu les cigarettes, trempez-les dans le sirop et roulez-les dans les pistaches concassées.

BROCHETTES DE FRUITS AU CHOCOLAT

Préparation : 10 min – Cuisson : 5 min

1 banane • 8 fraises de même taille • 2 kiwis • 8 framboises • 75 g de chocolat noir • ¼ de citron • 5 cl de crème liquide

Réalisation

Cassez le chocolat en morceaux. Versez la crème dans une casserole, portez-la à ébullition. Hors du feu, ajoutez le chocolat et laissez fondre sans y toucher. Quand le chocolat est fondu, lissez avec une spatule. Pressez le quartier de citron. Pelez la banane, coupez-la en rondelles, citronnez-les afin qu'elles ne noircissent pas. Lavez rapidement les fraises et équeutez-les. Pelez les kiwis et coupez la chair en dés. Répartissez les fruits sur deux brochettes en bois en intercalant les couleurs. Déposez-les sur des assiettes à dessert, versez un peu de coulis au chocolat autour et servez le reste en saucière.

CAFÉ LIÉGEOIS

Préparation : 10 min

15 cl de café très fort froid • 5 cl de crème fraîche liquide • ½ sachet de sucre vanillé • 2 boules de glace au café • vermicelle au chocolat ou multicolore

Réalisation

Placez la crème fraîche liquide au réfrigérateur plusieurs heures à l'avance, ainsi que le saladier que vous utiliserez pour monter la chantilly. Battez la crème au batteur électrique jusqu'à ce qu'elle soit ferme, incorporez le sucre vanillé. Mettez dans deux verres hauts un peu de café fort, une boule de glace,

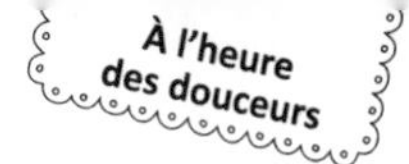

recouvrez de café, puis de chantilly et décorez avec du vermicelle au chocolat ou multicolore.

CARPACCIO D'ORANGES À LA CANNELLE

Préparation : 10 min – Réfrigération : 30 min

2 belles oranges • quelques feuilles de menthe • 1½ cuil. à soupe d'eau de fleur d'oranger • 1 cuil. à soupe de cannelle

Réalisation

Pelez les oranges à vif, puis détaillez-les en tranches très fines en recueillant le jus dans un bol. Répartissez les tranches d'orange en rosace sur deux assiettes. Versez l'eau de fleur d'oranger dans le bol de jus d'orange, ajoutez la cannelle et mélangez bien. Versez ce jus parfumé sur les fruits et placez les assiettes au frais pendant 30 minutes. Parsemez de menthe hachée avant de servir.

Coup de cœur : *si les oranges sont acides, ajoutez un peu de sucre à l'eau de fleur d'oranger.*

CERISES CARAMÉLISÉES

Préparation : 5 min – Cuisson : 5 min

300 g de cerises • 25 g de beurre • 2 cuil. à soupe de sucre

Réalisation

Dénoyautez les cerises. Faites fondre le beurre dans une sauteuse, mettez les cerises, saupoudrez de sucre et laissez cuire jusqu'à ce que les fruits soient légèrement caramélisés. Laissez tiédir avant de servir.

Coup de cœur : *vous pouvez arroser les cerises d'une cuillerée à soupe de kirsch après la cuisson. Servez tel quel ou avec une glace vanille.*

CHAUD-FROID DE POMMES

Préparation : 10 min – Cuisson : 15 min

3 pommes reinettes • 25 g de beurre • 50 g de sucre • ½ litre de sorbet à la pomme verte

Réalisation

Pelez les pommes et coupez-les en tranches. Faites fondre le beurre dans une poêle à revêtement antiadhésif, versez les tranches de pomme et faites-les dorer doucement pendant 5 minutes. Saupoudrez de sucre et poursuivez la cuisson pendant 5 minutes. Disposez dans chaque assiette à dessert deux boules de sorbet, entourez de tranches de pomme.

Coup de cœur : *arrosez ce dessert d'un peu de calvados. Vous pouvez le réaliser avec des pommes Granny-Smith si vous appréciez leur acidité.*

CHOCOLAT LIÉGEOIS

Préparation : 10 min – Cuisson : 5 min

½ litre de glace au chocolat • 100 g de chocolat noir • 4 cuil. à soupe de crème Chantilly • 2 cuil. à café de vermicelle en sucre multicolore

Réalisation

Faites fondre le chocolat avec deux petites cuillerées à soupe d'eau chaude au bain-marie ou au micro-ondes. Répartissez la glace au chocolat dans deux coupes, arrosez de chocolat chaud puis décorez de crème Chantilly. Parsemez de grains de vermicelle en sucre. Servez immédiatement.

CŒUR AU CHOCOLAT ET AUX CERISES

Préparation : 15 min – Cuisson : 35 min

100 g de chocolat dessert • 30 g de beurre + 10 g pour le moule • 30 g de farine • ½ sachet de levure chimique • 1 œuf • 50 g de sucre • 8 cerises confites • sel

Réalisation

Préchauffez le four à 210 °C (th. 7). Beurrez un moule en forme de cœur. Faites fondre le beurre et le chocolat au micro-ondes ou au bain-marie. Mélangez dans un saladier la farine, la levure et une pincée de sel. Dans un autre récipient, fouettez l'œuf avec le sucre jusqu'à ce que le mélange mousse, blanchisse et augmente de volume. Incorporez alors le chocolat, puis la farine mélangée à la levure. Ajoutez les cerises confites. Versez la préparation dans le moule et faites cuire pendant 25 minutes. Laissez tiédir avant de démouler.

Coup de cœur : *accompagnez d'une petite sauce anglaise parfumée au kirsch.*

CRÊPE AUX ABRICOTS

Pour 6 crêpes – Préparation : 15 min – Cuisson : 15 min

6 abricots • 60 g de farine • 2 œufs • 25 cl de lait • 2 cuil. à soupe de sucre en poudre • 2 cuil. à soupe de sucre cristallisé • 40 g de beurre • sel

Réalisation

Ouvrez les abricots, dénoyautez-les et coupez-les en petits morceaux. Mettez la farine dans un grand bol, ajoutez une pincée de sel, cassez les œufs et mélangez. Versez le lait peu à peu en fouettant, puis incorporez le sucre en poudre et les morceaux d'abricot. Faites chauffer le beurre dans une poêle. Quand il mousse, versez la préparation et laissez cuire à feu doux jusqu'à ce que la crêpe soit presque prise. Versez sur un plat allant au four. Saupoudrez de sucre cristallisé et passez 5 minutes sous le gril pour que le sucre caramélise et devienne croustillant. Laissez tiédir avant de déguster.

Coup de cœur : *variez les fruits selon la saison, ou utilisez des fruits surgelés.*

CRÊPE AU COULIS D'ORANGE

Pour 6 crêpes – Préparation : 10 min – Repos : 2 h – Cuisson : 10 min

125 g de farine • 2 œufs • 25 cl de lait demi-écrémé • ½ cuil. à soupe d'huile • 10 g de beurre • sel

Garniture : ½ orange non traitée • 1 cuil. à soupe de miel • ½ cuil. à soupe d'eau de fleur d'oranger

Réalisation

Mettez la farine dans un saladier, creusez un puits au centre, ajoutez une pincée de sel, puis les œufs entiers. Mélangez avec une cuillère en bois jusqu'à obtention d'une pâte homogène, puis versez le lait petit à petit sans cesser de tourner. Ajoutez l'huile, mélangez à nouveau. Couvrez le saladier avec un torchon, puis laissez reposer 2 heures. Râpez le zeste de l'orange, pressez le fruit et versez le jus obtenu dans une petite casserole. Ajoutez le miel, l'eau de fleur d'oranger et le zeste. Faites cuire à feu très doux jusqu'à ce que le mélange devienne sirupeux. Allongez la pâte avec un peu d'eau si elle est trop épaisse. Faites fondre la valeur d'un petit pois de beurre dans une crêpière ou une poêle à fond plat. Dès qu'il grésille, versez une louche de pâte en tournant la poêle afin de bien répartir la pâte. Laissez cuire à feu moyen pendant 1 à 2 minutes. Soulevez le bord de la crêpe avec une spatule pour vérifier le degré de cuisson, puis retournez-la. Faites-la cuire sur l'autre face, puis faites-la glisser sur une assiette placée sur une casserole d'eau bouillante. Pliez les crêpes en quatre, disposez-les sur des assiettes individuelles et arrosez-les de coulis. Servez tiède.

Coup de cœur : *remplacez le coulis d'orange par de la confiture, du sucre, du miel, de la pâte à tartiner à la noisette, du chocolat, de la crème Chantilly…*

CRÊPE AU SUCRE

Pour 6 crêpes – Préparation : 10 min – Repos : 2 h – Cuisson : 10 min

125 g de farine tamisée • 2 œufs • 25 cl de lait • ½ cuil. à soupe d'huile • 25 g de beurre • sel

Réalisation

Mettez la farine dans un saladier, creusez un puits au centre, ajoutez une pincée de sel puis les œufs entiers. Mélangez avec une cuillère en bois jusqu'à obtention d'une pâte homogène, puis versez le lait petit à petit sans cesser de tourner. Ajoutez l'huile, mélangez à nouveau. Couvrez le saladier et laissez reposer pendant 2 heures. Faites fondre une petite noisette de beurre dans une poêle. Dès qu'il grésille, versez une louche de pâte dans la poêle en tournant afin de bien la répartir. Laissez cuire à feu moyen pendant 1 à 2 minutes. Soulevez le bord de la crêpe avec une spatule pour vérifier le degré de cuisson, puis retournez-la. Faites-la cuire sur l'autre face, puis faites-la glisser sur une assiette posée sur une casserole d'eau chaude. Préparez les autres crêpes de la même façon. Saupoudrez de sucre en poudre et servez immédiatement.

CROUSTILLANTS DE POIRES AU CHOCOLAT

Préparation : 10 min – Cuisson : 40 min

2 poires mûres • 2 feuilles de brick • 50 g de sucre • ½ cuil. à soupe de cannelle • 2 clous de girofle • 10 g de beurre

Réalisation

Pelez les poires en les laissant entières. Mettez-les dans une grande casserole, arrosez-les avec 1 litre d'eau, ajoutez le sucre, les clous de girofle, la cannelle. Faites bouillir, puis baissez le feu et laissez cuire pendant 30 à 35 minutes. Vérifiez la cuisson des poires en les piquant avec la pointe d'un couteau. Égouttez-les. Préchauffez le four à 210 °C (th. 7). Faites fondre le beurre. Étalez les feuilles de brick sur une planche, beurrez-les au pinceau, déposez au centre une poire et refermez la feuille de brick en aumônière en la fermant avec un brin de raphia. Enfournez et laissez cuire 5 à 7 minutes. Pendant ce temps, faites fondre le chocolat coupé en morceaux avec deux petites cuillerées à soupe de sirop de cuisson des poires. Versez le chocolat sur chaque assiette et déposez un croustillant de poire au milieu. Servez tiède.

CRUMBLES DE POIRES AU PAIN D'ÉPICES

Préparation : 10 min – Cuisson : 20 min

2 poires • 2 cuil. à soupe de cassonade • 30 g de beurre • 4 tranches de pain d'épices

Réalisation

Préchauffez le four à 180 °C (th. 6). Pelez les poires, coupez-les en lamelles, mettez-les dans deux petits ramequins. Émiettez les tranches de pain d'épices, malaxez les miettes avec le beurre et la cassonade, et parsemez-en les poires. Faites cuire pendant 20 minutes environ. Laissez tiédir avant de déguster.

Coup de cœur : *ce dessert, rapidement prêt, peut être réalisé aussi avec des figues fraîches.*

DOUILLONS

Préparation : 15 min – Cuisson : 20 min

½ rouleau de pâte feuilletée (frais ou surgelé) • 2 poires • 25 g de beurre • 50 g de sucre • 1 jaune d'œuf • 1½ cuil. à soupe de lait

Réalisation

Pelez les poires sans les couper, ôtez le trognon à l'aide d'un vide-pomme. Coupez la pâte en deux parties égales. Déposez une poire au centre de chaque carré de pâte. Mettez du sucre et une noisette de beurre dans la partie évidée. Refermez la pâte hermétiquement autour de chaque poire. Préchauffez le four à 210 °C (th. 7). Déposez les deux poires dans un plat à four. Battez le jaune d'œuf avec le lait et badigeonnez la pâte au pinceau. Enfournez et laissez cuire pendant 20 minutes. Servez chaud ou tiède avec de la crème fraîche.

DUO CAFÉ CHOCOLAT

Préparation : 15 min – Cuisson : 30 min

60 g de chocolat noir • 50 g de beurre • 30 g de sucre • 2 œufs • 2 cl de café noir très fort.

Sauce : 20 g de chocolat noir • 1 cuil. à café de café soluble

Réalisation

Préchauffez le four à 180 °C (th. 6). Beurrez un moule à manqué. Cassez le chocolat en petits morceaux, faites-le fondre dans le café au bain-marie ou au micro-ondes. Incorporez le beurre coupé en petits morceaux, mélangez pour le faire fondre. Cassez les œufs en séparant les blancs des jaunes. Fouettez les jaunes avec le sucre jusqu'à ce que le mélange blanchisse. Ajoutez le chocolat fondu, mélangez. Battez les blancs en neige ferme avec une pincée de sel, incorporez-les délicatement au mélange. Versez dans le moule et faites cuire pendant 30 minutes. Pendant ce temps, préparez la sauce : faites fondre le chocolat avec le café soluble et deux cuillerées à soupe d'eau. Sortez le gâteau du four, laissez-le tiédir, démoulez-le et recouvrez-le de sauce chocolat-café.

FEUILLES SABLÉES AUX FRAMBOISES

Préparation : 10 min – Cuisson : 8 min

60 g de farine • 40 g de beurre mou • 20 g de sucre glace + 5 g pour le décor • 150 g de framboises • sel

Réalisation

Préchauffez le four à 210 °C (th. 7). Mélangez au fouet la farine, le beurre, le sucre et une pincée de sel. Étalez la pâte très finement. Prélevez six cercles de 8 cm de diamètre environ à l'aide d'un emporte-pièce ou tout simplement d'un verre retourné. Graissez légèrement la plaque du four, mettez les cercles de pâte et faites-les cuire 8 minutes environ en surveillant la couleur. Retirez les sablés, laissez-les refroidir. Superposez sur chaque assiette trois sablés en les séparant par une couche de framboises. Saupoudrez de sucre glace.

Coup de cœur : *vous pouvez aussi réaliser ce dessert avec des fraises Mara des bois et l'accompagner de crème Chantilly.*

FIGUES RÔTIES

Préparation : 5 min – Cuisson : 10 min

4 grosses figues • 2 cuil. à soupe de miel liquide • 2 pincées de noix de muscade

Réalisation

Préchauffez le four à 210 °C (th. 7). Lavez et essuyez les figues, coupez-les en quatre sans séparer les quartiers. Mettez les figues dans deux ramequins allant au four, versez au centre de chacune un peu de miel et de muscade. Faites cuire 10 minutes et laissez refroidir un peu. Servez tiède.

Coup de cœur : *vous pouvez accompagner ces fruits de crème anglaise ou de glace à la vanille.*

FLAN À LA NOIX DE COCO

Préparation : 10 min – Cuisson : 1 h

1 œuf • 50 g de lait de coco • 50 g de lait concentré sucré • 10 g de beurre • 10 cl de crème fraîche épaisse • 2 cuil. à soupe de noix de coco râpée

Réalisation

Préchauffez le four à 150 °C (th. 5). Beurrez deux ramequins. Mélangez dans une terrine l'œuf avec la crème, le lait de coco et le lait concentré. Versez dans les ramequins et mettez au bain-marie. Faites cuire 1 heure. Laissez refroidir les flancs, démoulez-les sur des assiettes et saupoudrez-les de noix de coco râpée.

FONDANT AU CHOCOLAT NOIR

Préparation : 10 min – Cuisson : 20 min

60 g de chocolat noir • 2 œufs • 50 g de sucre • 30 g de beurre • 12 g de farine

Réalisation

Préchauffez le four à 240 °C (th. 8). Faites fondre 50 g de chocolat à feu très doux, puis ajoutez le beurre, en gardant une noisette pour les moules. Retirez du feu. Battez les œufs en omelette dans un saladier, ajoutez le sucre et la farine. Mélangez, puis versez le chocolat. Mélangez à nouveau. Beurrez deux ramequins. Versez-y la moitié de la préparation.

Placez dessus deux carrés de chocolat, puis recouvrez avec le reste de la pâte. Faites cuire pendant 10 minutes à four chaud. Servez tiède. En ouvrant le gâteau avec la cuillère, le chocolat fondu se répandra dans l'assiette.

Coup de cœur : *accompagnez d'une glace à la vanille.*

GÂTEAU DE CORN FLAKES AU CHOCOLAT

Préparation : 15 min – Cuisson : 15 min – Réfrigération : 5 h

100 g de corn flakes • 150 g de chocolat noir • ½ cuil. à soupe d'huile

Réalisation

Préchauffez le four à 150 °C (th. 5). Mettez les corn flakes sur la plaque du four et réchauffez-les pendant 5 minutes afin qu'ils soient bien croustillants. Cassez le chocolat en petits morceaux et faites-les fondre au bain-marie ou au micro-ondes. Mettez les corn flakes dans un grand saladier, versez le chocolat dessus et mélangez bien délicatement et longuement afin que tous les corn flakes soient enrobés. Huilez un moule à manqué, versez la préparation dedans et placez au frais pour 5 heures au minimum. Démoulez avant de servir.

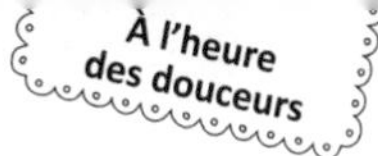

GÂTEAU DE POMMES CONFITES

Préparation : 10 min – Cuisson : 1 h 20 – Réfrigération : 4 h

500 g de pommes • ½ citron • 100 g de sucre • ½ gousse de vanille

Réalisation

Pressez le demi-citron. Épluchez les pommes en conservant les trognons et les pelures. Coupez les pommes en quartiers, citronnez-les, réservez. Mettez les pelures et les trognons dans une casserole, arrosez avec 25 cl d'eau et portez à ébullition. Baissez le feu et laissez cuire 20 minutes. Passez ce jus à travers une passoire fine, reversez-le dans la casserole, ajoutez les quartiers de pomme et faites cuire à feu très doux pendant 1 heure.

Tassez les pommes et leur jus de cuisson dans un moule à charlotte. Laissez refroidir à température ambiante puis placez au réfrigérateur pour 4 heures. Démoulez délicatement le gâteau sur un plat.

Coup de cœur : *accompagnez ce gâteau de crème anglaise à la vanille.*

GRANITÉ AU CITRON VERT

Préparation : 15 min – Réfrigération : 2 h – Cuisson : 10 min

7,5 cl de jus de citron vert • 1 citron vert non traité • 25 g de sucre • 2 pincées de gingembre en poudre

Réalisation

Versez le sucre dans une casserole et arrosez-le avec 5 cl d'eau. Faites bouillir pendant 10 minutes, retirez du feu, ajoutez le jus de citron vert et le gingembre. Laissez refroidir et versez dans un bac. Placez le bac au réfrigérateur pendant 2 heures en mélangeant à la fourchette toutes les 15 minutes. Prélevez le zeste du citron vert avec un couteau économe et râpez-le. Prélevez des boules de granité et mettez-les dans deux coupelles. Parsemez de zeste râpé. Servez immédiatement.

Coup de cœur : *vous pouvez arroser ce granité de vodka glacée.*

GRANITÉ D'ORANGES AU GINGEMBRE

Préparation : 10 min – Congélation : 4 h

3 oranges • ½ citron vert • 1 cm de gingembre frais • 10 g de sucre

Réalisation

Pressez les oranges, versez le jus dans une terrine, ajoutez le gingembre pelé et râpé, le sucre et le jus de citron vert. Versez dans un bac et placez au congélateur pendant 4 heures en mélangeant le granité à la fourchette toutes les 30 minutes. Répartissez dans des coupes.

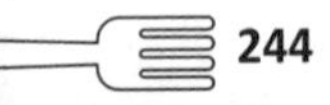

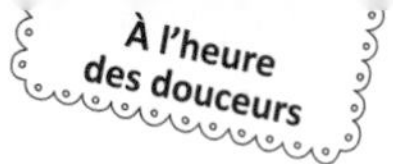

Coup de cœur : *ajoutez 10 cl de vodka si vous souhaitez un dessert plus corsé. Décorez de zestes d'orange confits, accompagnez de sablés à l'orange et au chocolat.*

GRANITÉ MINUTE À LA FRAMBOISE

Préparation : 5 min

200 g de framboises surgelées • 30 g de sucre

Réalisation

Mixez les framboises encore congelées avec le sucre. Répartissez dans deux verres.

Coup de cœur : *vous pouvez réaliser ce granité avec des myrtilles, du cassis, du melon ou encore de la mangue.*

GRATIN DE BANANES AU RHUM

Préparation : 10 min – Cuisson : 10 min

3 bananes • 3 jaunes d'œufs • 50 g de sucre • 2 cl de rhum ambré • 10 g de beurre

Réalisation

Préparez le sabayon : mettez les jaunes d'œufs dans une casserole, ajoutez le sucre et travaillez énergiquement jusqu'à ce que le mélange blanchisse. Versez le rhum sans cesser de mélanger, puis placez la casserole au bain-marie et faites cuire pour obtenir une crème mousseuse. Retirez du feu et laissez tiédir. Préchauffez le four à 210 °C (th. 7). Beurrez deux ramequins. Pelez les bananes, coupez-les en rondelles, répartissez-les dans les ramequins. Recouvrez de sabayon et mettez au four. Faites gratiner pendant 5 minutes sous le gril. Servez tiède.

GRATIN DE FRAMBOISES AUX AMANDES

Préparation : 10 min – Cuisson : 5 min

150 g de framboises • 50 g d'amandes en poudre • 30 g d'amandes effilées • 30 g de beurre • 50 g de sucre • 1 jaune d'œuf • 1 cuil. à soupe de crème liquide • 1 cuil. à café de fécule

Réalisation

Sortez le beurre à l'avance du réfrigérateur afin qu'il soit facile à travailler. Étalez les framboises dans deux petits plats à gratin. Fouettez le beurre avec le sucre, la poudre d'amandes, le jaune d'œuf, la fécule et la crème liquide. Étalez sur les framboises. Faites dorer sous le gril pendant 3 minutes, saupoudrez d'amandes effilées et repassez sous le gril pendant 2 minutes. Laissez tiédir avant de servir.

Coup de cœur : *les framboises surgelées conviennent très bien pour ce dessert.*

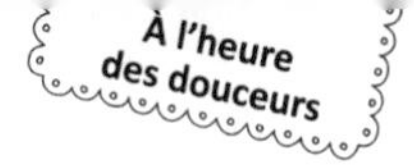

MENDIANTS PROVENÇAUX

Préparation : 15 min – Cuisson : 3 min – Réfrigération : 1 h

125 g de chocolat noir • 25 g de noisettes entières • 25 g d'amandes entières • 25 g de figues sèches • 25 g de raisins secs • 3 zestes d'orange confite

Réalisation

Faites fondre le chocolat au micro-ondes ou au bain-marie. Coupez les figues sèches et les zestes d'orange en dés. Tapissez un plan de travail de papier sulfurisé. Déposez avec une cuillère à soupe un peu de chocolat fondu sur le papier et étalez pour former un cercle. Renouvelez l'opération. Répartissez sur chaque cercle de chocolat quelques fruits secs et zestes d'orange en appuyant pour les faire adhérer au chocolat. Laissez refroidir au réfrigérateur pendant 1 heure, décollez-les du papier.

MILLEFEUILLES À LA VANILLE

Préparation : 25 min – Cuisson : 1 h

1 rouleau de pâte feuilletée rectangulaire (maison ou du commerce) • 10 g de sucre glace.

Crème pâtissière : 95 g de beurre • 20 cl de lait entier • ½ gousse de vanille • 2 jaunes d'œufs • 45 g de sucre en poudre • 20 g de fécule de maïs • sucre glace

Réalisation

Préchauffez le four à 150 °C (th. 5). Recouvrez la plaque du four de papier sulfurisé. Découpez dans la pâte feuilletée des petits rectangles de même taille, déposez-les sur le papier.

Recouvrez d'une autre feuille de papier sulfurisé, puis d'une plaque, afin que la pâte ne gonfle pas à la cuisson. Faites cuire pendant 25 minutes. Retirez la plaque et le papier supérieurs. Saupoudrez les rectangles de pâte d'un peu de sucre glace et remettez au four à 240 °C (th. 8) pendant 3 minutes pour les faire caraméliser, en surveillant la couleur. Dès que la pâte est dorée, retirez du four et laissez refroidir.

Préparez la crème : sortez à l'avance le beurre du réfrigérateur. Versez le lait dans une casserole. Ouvrez la demi-gousse de vanille en deux dans le sens de la longueur, retirez les graines, mettez-les dans le lait ainsi que la gousse. Portez à ébullition, couvrez puis retirez du feu et laissez infuser pendant 10 minutes. Ôtez la gousse. Versez le sucre dans un saladier, ajoutez les jaunes d'œufs, fouettez jusqu'à ce que le mélange blanchisse, puis ajoutez la fécule. Mélangez bien puis versez le lait. Mettez dans la casserole et faites cuire à feu moyen pendant 5 minutes sans cesser de fouetter pour que la crème n'attache pas. Retirez la crème du feu, incorporez la moitié du beurre et laissez tiédir. Ajoutez le reste de beurre en fouettant, versez la crème dans un saladier, couvrez-le et laissez complètement refroidir. Déposez la moitié des rectangles de pâte feuilletée caramélisée sur le plat de service. Garnissez-les de crème avec une poche à douille. Recouvrez avec le reste des rectangles de pâte et saupoudrez de sucre glace. Gardez au frais en attendant de servir.

Coup de cœur : *ajoutez des fraises ou des framboises sur la crème pâtissière.*

MOUSSE AU CAFÉ

Préparation : 5 min

2 blancs d'œufs • 200 g de fromage blanc • 2 cuil. à café de café lyophilisé • ½ sachet de sucre vanillé • 20 g de sucre

Réalisation

Mélangez le fromage blanc avec le sucre, le sucre vanillé et le café. Goûtez pour apprécier si vous préférez un dessert corsé, ajoutez un peu de café. Montez les blancs en neige et incorporez-les à la préparation. Répartissez dans deux coupes et mettez au réfrigérateur en attendant de servir.

MOUSSE AU CHOCOLAT TRÈS NOIRE

Préparation : 10 min – Cuisson : 5 min – Réfrigération : 2 h

90 g de chocolat noir • 1 cuil. à café de cacao amer • 2 œufs • 10 g de beurre • sel

Réalisation

Faites fondre le chocolat coupé en morceaux avec une cuillerée à soupe d'eau à feu très doux ou au micro-ondes. Ajoutez le beurre et lissez avec une spatule. Cassez les œufs en séparant les blancs des jaunes. Mettez les jaunes dans le chocolat fondu en mélangeant bien, puis ajoutez le cacao. Battez les blancs en neige ferme avec une petite pincée de sel. Incorporez-les à la préparation. Répartissez la mousse dans deux verres et mettez au frais pour 2 heures avant de servir.

Coup de cœur : *décorez la mousse de petites meringues, de zestes d'orange confits ou encore d'un hachis de feuilles de menthe.*

MOUSSE DE BANANE

Préparation : 10 min

2 bananes • 100 g de fromage blanc • 50 g de sucre • ½ citron vert • 2 blancs d'œufs • sel

Réalisation

Pressez le demi-citron vert. Pelez les bananes. Mixez les bananes avec le jus de citron et le sucre. Battez les blancs d'œufs en neige avec une petite pincée de sel. Incorporez-les délicatement à la crème de banane. Répartissez la mousse dans deux coupes et placez au frais en attendant de servir.

MOUSSE DE POIRES AU GINGEMBRE CONFIT

Préparation : 10 min

2 poires mûres • 20 g de sucre • 15 cl de crème liquide • 25 g de gingembre confit

Réalisation

Placez un saladier et la crème au réfrigérateur plusieurs heures à l'avance. Épluchez les poires, coupez-les en morceaux. Mixez-les avec le sucre. Fouettez la crème dans le saladier jusqu'à obtention d'une chantilly, incorporez-la délicatement à la purée de poires. Répartissez la mousse dans deux coupes et réservez au frais. Au moment de servir, découpez le gingembre confit en bâtonnets, plantez-les dans la mousse.

MITONNÉE DE POMMES ET DE FIGUES

Préparation : 10 min – Cuisson : 10 min

2 figues • 2 pommes reinettes • 40 g de beurre • 1 cuil. à café de sucre • ½ citron non traité • 1 cuil. à soupe de graines de sésame • sel, poivre du moulin

Réalisation

Épluchez les pommes et coupez-les en petits morceaux. Lavez et essuyez les figues, coupez-les en quatre. Prélevez le zeste du demi-citron avec un couteau économe et pressez le demi-fruit. Hachez le zeste. Faites fondre le beurre dans une sauteuse. Dès qu'il mousse, ajoutez les fruits, le zeste et le jus de citron, salez légèrement, sucrez, poivrez et arrosez de deux cuillerées à soupe d'eau. Couvrez et laissez cuire environ 10 minutes. Les fruits doivent être fondants. Versez la mitonnée dans deux coupelles, saupoudrez de graines de sésame et laissez refroidir un peu. Servez tiède.

Coup de cœur : *vous pouvez servir ce plat en dessert, mais aussi en accompagnement d'une volaille rôtie.*

ORANGES SOUFFLÉES

Préparation : 10 min – Cuisson : 15 min

2 oranges • 50 g de sucre • 10 g de farine • 25 cl de lait • 2 œufs • 1 cuil. à soupe de Grand Marnier • sel

Réalisation

Préchauffez le four à 180 °C (th. 6). Coupez les oranges en deux dans le sens de la largeur, enlevez la pulpe avec précaution pour ne pas trouer les écorces. Passez la pulpe au mixeur.

Cassez les œufs en séparant les blancs des jaunes. Mélangez le sucre, la farine, les jaunes d'œufs, le lait, la pulpe d'orange et le Grand Marnier. Battez les blancs d'œufs en neige très ferme avec une pincée de sel et incorporez-les au mélange. Déposez les écorces d'orange vides dans un plat à four, remplissez-les avec la préparation et faites cuire au four 15 minutes. Servez aussitôt.

Coup de cœur : *si les écorces d'orange ne sont pas stables dans le plat, coupez à leur base une très petite lamelle d'écorce sans les percer.*

PAMPLEMOUSSES RÔTIS AU MIEL

Préparation : 10 min – Cuisson : 5 min

1 pamplemousse rose • 2 cuil. à soupe de miel liquide • 2 cuil. à café d'huile d'olive • 1 cuil. à café de thym émietté

Réalisation

Coupez le pamplemousse en deux. Détachez la chair des quartiers avec un couteau recourbé sans l'enlever. Mélangez dans un bol l'huile, le miel et le thym. Badigeonnez chaque demi-pamplemousse avec ce mélange. Passez sous le gril pendant 5 minutes.

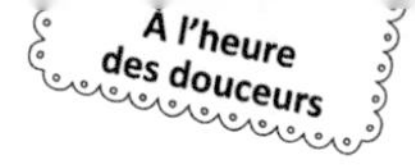

PAPILLOTES DE BANANES À L'ANTILLAISE

Préparation : 10 min – Cuisson : 10 min

2 bananes • ½ citron vert non traité • 1 cuil. à soupe de raisins secs • 1 cuil. à soupe de rhum • 1 cuil. à soupe de cassonade

Réalisation

Découpez deux rectangles dans du papier d'aluminium. Faites tremper les raisins dans le rhum. Prélevez le zeste du demi-citron vert avec un couteau économe et râpez-le. Pelez les bananes et coupez-les en deux dans le sens de la longueur. Disposez deux demi-bananes sur chaque carré de papier, saupoudrez de cassonade et de zeste de citron râpé, puis ajoutez les raisins et le rhum. Fermez hermétiquement les papillotes et faites cuire pendant 10 minutes. Servez tiède.

PAPILLOTES DE POIRES AU CHOCOLAT

Préparation : 10 min – Cuisson : 10 min

2 poires • 50 g de chocolat noir • 1 cuil. à soupe de noisettes concassées

Réalisation

Découpez deux carrés dans du papier d'aluminium. Épluchez les poires, coupez-les en lamelles et répartissez-les au centre des carrés de papier. Saupoudrez de noisettes concassées. Taillez des copeaux dans le chocolat avec un couteau économe, déposez-les sur les poires. Fermez hermétiquement les papillotes et faites cuire pendant 10 minutes. Servez tiède.

PETITES COCOTTES DE FRUITS AUX ÉPICES

Préparation : 10 min – Cuisson : 20 min

2 poires • 2 pêches • 2 fraises • 6 framboises • 10 cl de vin blanc doux • ½ cuil. à café de cannelle • ½ cuil. à café de gingembre en poudre • ½ cuil. à café de vanille en poudre • 1 clou de girofle • 1 étoile de badiane

Réalisation

Versez le vin dans une casserole avec les épices, mélangez et portez à ébullition. Lavez et équeutez les fraises, coupez-les en deux si elles sont grosses. Pelez les poires et les pêches, coupez-les en morceaux, disposez-les dans deux petites cocottes, ajoutez les framboises et les fraises. Préchauffez le four à 180 °C (th. 6). Arrosez les fruits de vin aux épices, couvrez, enfournez et laissez cuire pendant 15 minutes. Laissez tiédir avant de déguster.

PETITES COCOTTES DE PAIN PERDU AUX AMANDES ET FRAMBOISES

Préparation : 10 min – Cuisson : 15 min

2 tranches épaisses de pain brioché • 1 œuf • 50 g d'amandes en poudre • 5 cl de lait • 50 g de sucre • 50 g de beurre • 75 g de framboises

Réalisation

Battez l'œuf avec le lait et une demi-cuillerée à soupe de sucre dans une assiette creuse. Faites fondre la moitié du beurre dans une poêle. Trempez les tranches de pain brioché dans le mélange œuf-lait sucré, faites-les dorer dans la poêle pen-

dant 5 minutes en les retournant. Préchauffez le four à 210 °C (th. 7). Mettez une tranche de pain brioché dans deux petites cocottes. Malaxez le reste du beurre avec le reste de sucre et la poudre d'amandes. Tartinez les tranches de pain avec cette préparation. Disposez quelques framboises. Enfournez et laissez dorer pendant 10 minutes. Laissez tiédir avant de déguster.

PETITES COCOTTES DE POMMES SOUFFLÉES

Préparation : 15 min – Cuisson : 55 min

2 œufs • 2 pommes reinettes • 50 g de sucre • ½ sachet de sucre vanillé • 1 cuil. à café de cannelle • sel

Réalisation

Épluchez les pommes, coupez-les en morceaux et faites-les cuire pendant 20 minutes dans une casserole avec le sucre vanillé et une cuillerée à soupe d'eau. Laissez-les refroidir et mixez-les en compote. Préchauffez le four à 210 °C (th. 7). Beurrez deux petites cocottes. Cassez les œufs en séparant les blancs des jaunes. Fouettez les jaunes avec le sucre dans un saladier jusqu'à ce que le mélange mousse, ajoutez la cannelle, puis la compote de pommes en mélangeant bien. Battez les blancs d'œufs en neige ferme avec une pincée de sel et incorporez-les délicatement à la préparation. Versez la pâte dans les cocottes, enfournez et laissez cuire pendant 30 minutes. Servez immédiatement.

PETITES COCOTTES FONDANTES AU CHOCOLAT

Préparation : 10 min – Cuisson : 15 min

100 g de chocolat noir • 2 œufs • 20 g de beurre • 40 g de sucre • 15 g de farine • sel

Réalisation

Versez la farine, le sucre et une petite pincée de sel dans une jatte. Ajoutez les œufs entiers et fouettez. Cassez le chocolat en morceaux, gardez-en deux carrés. Faites fondre le reste au micro-ondes ou au bain-marie avec le beurre. Mélangez les deux préparations. Préchauffez le four à 180 °C (th. 6). Beurrez légèrement deux petites cocottes. Versez dans chacune d'elles un peu de pâte, déposez un carré de chocolat et recouvrez avec le reste de pâte. Enfournez et laissez cuire pendant 10 minutes. Servez dans les cocottes.

PETITES POMMES D'AMOUR

Préparation : 10 min – Cuisson : 5 min – Attente : 15 min

2 pommes rouges • 1 citron • 150 g de sucre • 4 gouttes de colorant alimentaire rouge

Réalisation

Pressez le citron, versez le jus dans un bol. Épluchez les pommes et prélevez des boules de pulpe avec une cuillère parisienne. Mettez-les dans le jus de citron pendant quelques secondes pour qu'elles ne noircissent pas et piquez-les sur des bâtonnets en bois. Laissez-les égoutter sur un papier absorbant. Faites fondre le sucre avec le colorant dans 10 cl d'eau, laissez cuire pendant 5 minutes. Plongez les petites billes de pomme dans le sirop de sucre coloré, laissez-les sécher sur du papier sulfurisé, puis renouvelez l'opération. Laissez sécher à nouveau pendant au moins 10 minutes.

Coup de cœur : *regroupez plusieurs pommes d'amour dans une verrine.*

PETITS-SUISSES GLACÉS AUX FRUITS ROUGES

Préparation : 5 min

4 petits-suisses • 2 cuil. à soupe de sucre • 200 g de fruits rouges frais (fraises, framboises, groseilles)

Réalisation

Fouettez les petits-suisses avec le sucre, répartissez-les dans deux petits ramequins, déposez dessus des fruits rouges. Saupoudrez d'un peu de sucre glace juste au moment de servir.

Coup de cœur : *si vous utilisez des fraises, rincez-les, épongez-les, équeutez-les et coupez-les éventuellement en deux ou quatre.*

POÊLÉE D'ANANAS À LA VANILLE

Préparation : 5 min – Cuisson : 15 min

1 petite boîte de morceaux d'ananas au sirop • ½ gousse de vanille • ½ cuil. à soupe de miel

Réalisation

Égouttez les morceaux d'ananas. Versez le miel dans une poêle, ajoutez les morceaux d'ananas et faites-les dorer sans cesser de remuer pendant 10 minutes. Ouvrez la gousse de vanille, détachez les graines avec la pointe d'un couteau, versez-les sur les morceaux d'ananas. Prolongez la cuisson jusqu'à caramélisation. Répartissez dans deux coupes et servez tiède.

POÊLÉE D'ANANAS AU POIVRE DU SICHUAN

Préparation : 5 min – Cuisson : 20 min

300 g de morceaux d'ananas • ½ gousse de vanille • ½ cuil. à soupe de miel • poivre du Sichuan

Réalisation

Versez le miel dans une poêle, ajoutez les morceaux d'ananas et faites-les dorer sans cesser de remuer pendant 15 minutes. Ouvrez la gousse de vanille, détachez les graines avec la pointe d'un couteau, versez-les sur les morceaux d'ananas. Prolongez la cuisson jusqu'à caramélisation. Versez dans deux coupes et saupoudrez d'un peu de poivre du Sichuan. Servez tiède.

POIRES CONFITES AU PAIN D'ÉPICES

Préparation : 15 min – Cuisson : 30 min

2 grosses poires passe-crassane • 2 tranches de pain d'épices • 2 cuil. à soupe de miel liquide • 40 g de beurre • 8 cl de vin blanc doux

Réalisation

Épluchez les poires et coupez-les en lamelles. Faites fondre le beurre dans une sauteuse, faites dorer les lamelles de poire puis arrosez-les de miel. Laissez caraméliser pendant 5 minutes puis versez le vin et émiettez le pain d'épices dessus. Couvrez et laissez confire pendant 20 minutes. Dégustez ce dessert tiède.

Coup de cœur : *remplacez les poires par des figues.*

POIRES CARAMÉLISÉES AU SORBET CHOCOLAT

Préparation : 10 min – Cuisson : 10 min

2 poires • 15 g de beurre • 1 cuil. à soupe de miel liquide • 25 g d'amandes effilées • 2 boules de sorbet chocolat

Réalisation

Pelez les poires, coupez-les en quatre. Faites fondre le beurre dans une poêle, faites dorer doucement les quartiers de poire, arrosez de miel et poursuivez la cuisson 3 minutes en retournant les poires délicatement. Retirez les fruits de la poêle avec une écumoire et disposez en étoile quatre quartiers par assiette. Faites griller les amandes à sec dans une poêle. Placez une boule de sorbet au centre des quartiers de poire et parsemez d'amandes effilées.

POMMES EN ROBE

Préparation : 15 min – Cuisson : 20 min

½ rouleau de pâte feuilletée • 2 pommes reinette • 25 g de beurre • 50 g de sucre • 1 jaune d'œuf • 1½ cuil. à soupe de lait

Réalisation

Pelez les pommes sans les couper, ôtez le trognon à l'aide d'un vide-pomme. Coupez la pâte en quatre parties égales. Déposez une pomme au centre de chaque carré de pâte. Mettez du sucre et une noisette de beurre dans la partie évidée. Refermez la pâte hermétiquement autour de chaque pomme. Préchauffez le four à 210 °C (th. 7). Déposez les deux pommes dans un plat à four. Battez le jaune d'œuf avec le lait et badigeonnez la pâte au pinceau. Enfournez et laissez cuire pendant 20 minutes. Servez chaud ou tiède avec de la crème fraîche.

POMMES FOURRÉES

Préparation : 10 min – Cuisson : 50 min

2 grosses pommes • 2 tranches de pain brioché • 30 g de beurre • 2 cuil. à soupe de sucre • 2 cuil. à soupe de raisins de Smyrne • 1 sachet de thé

Réalisation

Préparez un thé fort dans un bol, mettez-y les raisins à gonfler. Ôtez le trognon des pommes avec un vide-pomme, ne les épluchez pas, mais lavez-les. Disposez dans un plat à four les deux tranches de pain brioché, posez les pommes dessus. Placez au centre de chaque pomme, dans la partie évidée, une cuillerée à soupe de raisins égouttés, une noisette de beurre et une demi-cuillerée à soupe de sucre. Mettez le reste du beurre dans le plat et ajoutez un petit verre d'eau. Enfournez et laissez cuire 45 à 50 minutes. Laissez un peu refroidir et dégustez tiède.

Coup de cœur : *vous pouvez aussi faire gonfler les raisins dans du calvados ou du rhum.*

RÊVE DE CUPIDON

Préparation : 10 min

15 cl de café fort • 4 cl de whisky irlandais • 2 boules de glace vanille • 2 pincées de cassonade • 50 g de chocolat

Réalisation

Versez le café dans deux tasses, sucrez avec la cassonade, arrosez de whisky et mélangez. Faites des copeaux dans le chocolat avec un couteau économe. Déposez une boule de glace vanille dans chaque tasse et décorez de copeaux de chocolat. Servez immédiatement.

Coup de cœur : *vous pouvez utiliser du café décaféiné.*

SOUFFLÉS GLACÉS AUX NOIX

Préparation : 15 min – Congélation : 6 h

2 œufs • 50 g de sucre • 50 g de noix moulues • 1 cuil. à soupe de rhum • 25 cl de crème liquide • 2 cerneaux de noix • 2 cuil. à café de cacao amer • sel

Réalisation

Mettez la crème et un saladier au réfrigérateur plusieurs heures avant de préparer les soufflés. Cassez les œufs en séparant les blancs des jaunes. Fouettez les jaunes avec le sucre jusqu'à ce que le mélange blanchisse, puis ajoutez les noix moulues et le rhum. Fouettez la crème en chantilly et incorporez-la à la préparation. Entourez deux ramequins individuels d'une bande de papier sulfurisé de 5 cm de hauteur et fixez-la avec un papier adhésif. Répartissez la préparation dans les deux ramequins et placez-les au congélateur pendant plusieurs heures. Disposez sur chaque soufflé un cerneau de noix et saupoudrez de cacao amer.

SOUPE DE FRAISES À L'ORANGE

Préparation : 10 min – Cuisson : 15 min – Réfrigération : 1 h

200 g de fraises • 3 oranges non traitées • 30 g de sucre • ½ bâton de cannelle • 2 branches de menthe

Réalisation

Prélevez le zeste d'une demi-orange, râpez-le. Pressez les oranges, versez le jus dans une casserole. Ajoutez le sucre, le zeste râpé et le demi-bâton de cannelle, portez à ébullition. Baissez le feu et faites réduire pendant 10 minutes. Laissez refroidir, puis placez au réfrigérateur pendant 1 heure au minimum. Lavez rapidement les fraises, équeutez-les, coupez-les en deux ou en quatre si elles sont grosses, répartissez-les dans deux coupes, arrosez-les de sirop rafraîchi. Décorez de quelques feuilles de menthe.

TARTELETTES AUX FRAMBOISES

Préparation : 20 min – Repos : 3 h 45 Cuisson : 40 min

Pâte : 80 g de farine • 60 g de beurre • sel ou un rouleau de pâte brisée (rayon frais ou surgelés)

Garniture : 200 g de framboises • 15 cl de crème fraîche épaisse • sucre glace • 1 œuf

Réalisation

Versez la farine dans un saladier, creusez un puits, mettez une pincée de sel et le beurre coupé en petits morceaux. Pétrissez rapidement à la main, ajoutez un peu d'eau pour obtenir une pâte souple. Roulez-la en boule et enveloppez-la dans un film alimentaire. Laissez reposer 3 heures au frais, puis 15 minutes à température ambiante. Étalez la pâte sur une planche farinée, et garnissez-en les moules à tartelette beurrés et farinés. Préchauffez le four à 180 °C (th. 6). Piquez la pâte de coups de fourchette et remettez au frais 30 minutes. Recouvrez-la de papier sulfurisé et de haricots secs ou de billes de cuisson et faites cuire « à blanc » pendant 10 minutes. Badigeonnez le fond des tartelettes d'un jaune d'œuf battu et remettez-les à cuire 10 minutes. Laissez refroidir. Garnissez les fonds de framboises, nappez de crème fraîche, saupoudrez de sucre glace et mettez au four 5 minutes.

Conseil : *servez ces tartelettes croustillantes accompagnées de glace vanille.*

TARTELETTES CARAMEL ET FRUITS SECS

Préparation : 15 min – Cuisson : 20 min – Réfrigération : 2 h

Pâte : 70 g de farine • 50 g de sucre glace • 1 jaune d'œuf • 50 g de beurre • 30 g de poudre d'amandes

Garniture : 100 g de sucre • 8 cl de crème • 2 cuil. à café de miel • 150 g de noix, noisettes, amandes • 10 g de beurre

Réalisation

Mélangez dans un saladier la farine, le sucre glace, le jaune d'œuf, la poudre d'amandes et le beurre jusqu'à ce que la pâte soit lisse. Roulez-la en boule, recouvrez-la d'un film alimentaire et laissez-la reposer au frais pendant 2 heures. Préchauffez le four à 180 °C (th. 6). Beurrez deux moules à tarte individuels. Étalez la pâte, découpez deux ronds à l'aide d'un verre retourné. Garnissez-en les moules. Recouvrez la pâte de papier sulfurisé et de billes de cuisson et faites cuire pendant 12 à 15 minutes, puis retirez les billes et le papier et prolongez la cuisson pendant 4 minutes environ en surveillant la couleur de la pâte. Faites griller les fruits secs dans une poêle pendant 1 minute. Versez le sucre dans une casserole, mouillez-le avec deux cuillerées à soupe d'eau et portez à ébullition. Dès que le caramel commence à blondir, versez la crème, le miel et retirez du feu. Incorporez les fruits secs. Mélangez bien et répartissez sur les fonds de pâte. Laissez refroidir le caramel avant de servir.

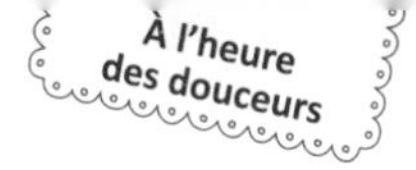

TERRINE DE CHOCOLAT

Préparation : 10 min – Cuisson : 3 min – Réfrigération : 3 h

125 g de spéculoos • 200 g de chocolat noir • 40 g de beurre • 10 cl de crème

Réalisation

Écrasez les biscuits grossièrement. Cassez le chocolat en petits morceaux. Versez le beurre et la crème dans une casserole, faites chauffer et ajoutez le chocolat. Laissez fondre à feu doux en mélangeant. Tapissez un petit moule de papier sulfurisé, versez la préparation dedans, égalisez avec une spatule et mettez au frais pendant au moins 3 heures.

TIAN D'ABRICOTS

Préparation : 15 min – Cuisson : 45 min

10 oreillons d'abricot • 2 œufs • 25 cl de lait • 75 g de riz rond • 75 g de sucre

Réalisation

Faites bouillir le lait, puis jetez le riz en pluie et laissez cuire pendant 25 minutes environ. Préchauffez le four à 180 °C (th. 6). Roulez les oreillons d'abricot dans le sucre. Battez les œufs en omelette. Mélangez les fruits avec le riz et les œufs battus. Versez dans un plat à four et enfournez. Laissez cuire 20 minutes puis laissez tiédir avant de servir.

Coup de cœur : *vous pouvez remplacer les abricots par des quetsches.*

TIRAMISU

Préparation : 20 min – Réfrigération : 2 h

3 œufs • 100 g de sucre • 250 g de mascarpone • 12,5 cl de marsala • 8 biscuits à la cuiller • 1 tasse de café froid très fort • 1 cuil. à soupe de cacao en poudre • sel

Réalisation

Séparez les jaunes d'œufs des blancs. Battez les jaunes avec le sucre jusqu'à ce que le mélange blanchisse et ajoutez le mascarpone et le marsala. Mélangez bien. Battez les blancs en neige ferme avec une pincée de sel et incorporez-les à la préparation. Trempez les biscuits dans le café et disposez-les dans le fond d'un plat rectangulaire de 5 cm de haut. Nappez d'une couche de préparation. Rangez une nouvelle couche de biscuits trempés dans le café, terminez en mettant le reste de la préparation. Laissez refroidir au moins 2 heures au réfrigérateur. Avant de servir, saupoudrez de cacao.

TOASTS AUX AMANDES

Préparation : 10 min – Cuisson : 10 min

2 tranches de pain brioché • 50 g d'amandes en poudre • 30 g de sucre • 1 blanc d'œuf • 1 petite noisette de beurre

Réalisation

Préchauffez le four à 210 °C (th. 7). Battez le blanc d'œuf avec le sucre, puis incorporez la poudre d'amandes. Tartinez les tranches de pain brioché avec ce mélange. Beurrez légèrement la plaque du four, déposez les tranches de pain brioché et passez au four pendant 10 minutes. Servez tiède.

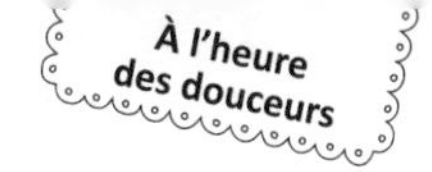

VACHERINS AUX FRAISES

Préparation : 10 min

2 meringues aux amandes • 200 g de fraises Mara des bois • 12 cl de crème liquide • 15 g de sucre glace • 2 cuil. à café d'amandes effilées

Réalisation

Placez un saladier au réfrigérateur plusieurs heures à l'avance. Lavez rapidement les fraises, équeutez-les et réservez-les sur un papier absorbant. Fouettez la crème liquide bien froide au batteur en incorporant peu à peu le sucre glace. Faites griller les amandes dans une poêle à revêtement antiadhésif. Écrasez grossièrement les meringues entre vos doigts. Disposez au fond de deux coupes ou deux verres quelques brisures de meringue, un peu de crème fouettée, quelques fraises. Renouvelez l'opération en terminant par les fraises, saupoudrez d'amandes effilées. Placez au frais en attendant de servir.

VACHERINS CHOCOLAT NOISETTE

Préparation : 10 min – Cuisson : 2 min

2 meringues nature du boulanger • 4 boules de glace au chocolat noir • 4 cuil. à soupe de noisettes

Réalisation

Faites griller les noisettes à sec dans une poêle à revêtement antiadhésif, puis concassez-les grossièrement. Écrasez les meringues. Placez dans deux verres une couche de meringue écrasée, un peu de glace au chocolat, un peu de noisettes et continuez à remplir les verres en terminant par des noisettes. Servez glacé.

Coup de cœur : *préparez aussi avec de la glace au café, à la vanille ou aux marrons.*

Brunchs pour
matin câlin

BRIOCHES À LA MARMELADE D'ABRICOTS

Préparation : 5 min – Cuisson : 5 min

2 petites brioches • 4 cuil. à soupe de marmelade d'abricots

Réalisation

Faites chauffer les brioches au four pendant 5 minutes à 150 °C (th. 5). Versez la confiture dans une petite casserole, réchauffez-la à feu doux. Ôtez délicatement le chapeau des brioches, évidez avec précaution la moitié de la mie, remplissez la cavité avec la confiture, replacez le chapeau, déposez les brioches dans une petite assiette. Servez le reste de confiture dans une saucière.

Coup de cœur : *vous pouvez préparer ce dessert avec de la marmelade d'oranges, de la confiture de fraises ou de rhubarbe, de la gelée de framboises, de groseilles ou de mûres.*

BROCHETTES DE FRUITS AU LARD FUMÉ

Préparation : 10 min – Cuisson : 5 min

4 pruneaux dénoyautés • 1 banane • 8 tranches fines de poitrine fumée

Réalisation

Coupez chaque tranche de poitrine en trois parts égales. Pelez la banane, coupez-la en rondelles épaisses. Entourez chaque rondelle et chaque pruneau d'un tiers de tranche de poitrine et répartissez-les sur des petites brochettes en intercalant pru-

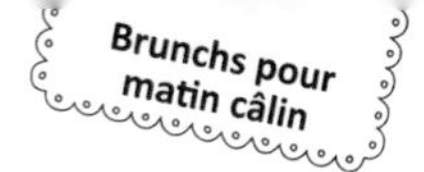

neau et banane. Faites griller 5 minutes pour que le lard soit doré et croustillant. Servez chaud ou tiède.

BROCHETTES DE SAUCISSES GRILLÉES

Préparation : 5 min – Cuisson : 8 min

4 saucisses cocktail • 4 boudins blancs cocktail • 4 boudins noirs cocktail • 4 tomates cerise

Réalisation

Enfilez sur quatre petites brochettes une saucisse, un boudin de chaque couleur et une tomate cerise. Faites griller 5 à 8 minutes en les retournant souvent. Servez avec de la moutarde.

BROWNIES AUX NOIX DE PÉCAN

Préparation : 10 min – Cuisson : 25 min

60 g de beurre + 10 g pour le moule • 50 g de chocolat noir • 75 g de sucre • 50 g de farine • 1 œuf • 25 g de noix de pécan

Réalisation

Préchauffez le four à 180 °C (th. 6). Beurrez un petit moule carré ou rectangulaire. Faites fondre à feu très doux le reste de beurre avec le chocolat dans une casserole. Hors du feu, ajoutez le sucre, puis l'œuf et la farine en mélangeant bien après chaque opération. Concassez grossièrement les noix de pécan avec les doigts et ajoutez-les à la pâte. Versez la pâte dans le moule beurré et faites cuire pendant 20 minutes. Démoulez et laissez refroidir sur une grille puis coupez en carrés de 4 cm de côté environ.

CAKES PISTACHES ET FRAMBOISES

Préparation : 10 min – Cuisson : 30 min

100 g de farine • ½ sachet de levure • 2 œufs • 75 g de sucre • 60 g de beurre + 10 g pour le moule • 75 g de framboises • 50 g de pistaches non salées

Réalisation

Préchauffez le four à 180 °C (th. 6). Beurrez et farinez des moules à cake individuels. Faites fondre le reste de beurre. Mélangez la farine et la levure. Fouettez le sucre avec les œufs jusqu'à ce que le mélange blanchisse, ajoutez la farine, la levure et le beurre fondu. Incorporez les pistaches et les framboises, mélangez délicatement et versez la pâte dans les moules. Faites cuire pendant 25 minutes, vérifiez la cuisson avec la lame d'un couteau et laissez reposer pendant 10 minutes avant de démouler sur une grille. Laissez refroidir.

Coup de cœur : *déposez un ou deux petits cakes sur des assiettes à dessert, ajoutez des framboises fraîches et une quenelle de glace à la pistache.*

CAKES RHUM-CITRON

Préparation : 10 min – Cuisson : 25 min

100 g de farine • ½ sachet de levure • 2 œufs • 100 g de sucre • 60 g de beurre + 10 g pour le moule • 1 citron non traité • 10 cl de rhum

Réalisation

Préchauffez le four à 180 °C (th. 6). Beurrez et farinez des moules à cake individuels. Faites fondre le beurre. Râpez le zeste du citron, pressez le fruit. Mélangez la farine et la levure. Battez les œufs dans un saladier avec 75 g de sucre et le zeste de citron, puis le beurre fondu, ajoutez la farine et la levure en pluie. Versez la préparation dans les moules et faites cuire pendant 25 minutes. Pendant ce temps, versez le reste de sucre, le jus de citron et le rhum dans une casserole et faites chauffer jusqu'à ce que le sucre soit dissous. Vérifiez la cuisson des cakes avec la lame d'un couteau. Laissez reposer pendant 10 minutes avant de démouler. Placez les cakes sur une grille au-dessus d'un plat, arrosez-les de sirop au citron et au rhum. Laissez refroidir avant de déguster.

Coup de cœur : *composez des assiettes gourmandes avec un ou deux cakes, une quenelle de glace rhum-raisins ou de sorbet au citron.*

CAPPUCCINO

Préparation : 5 min

2 tasses de café au lait • 2 cuil. à soupe de crème Chantilly • 2 cuil. à café de cacao non sucré

Réalisation

Préparez deux tasses de café au lait plus ou moins corsé selon votre goût. Déposez délicatement sur chaque tasse une cuillerée à soupe de crème Chantilly et saupoudrez-la d'un peu de cacao. Servez immédiatement.

CHEESECAKE

Préparation : 10 min – Attente : 1 h 30 – Cuisson : 1 h

400 g de fromage blanc • 3 œufs • 75 g de sucre en poudre • 1 citron non traité • ½ cuil. à café d'extrait de vanille • ½ rouleau de pâte brisée

Réalisation

Égouttez le fromage blanc dans un torchon fin placé dans une passoire pendant 1 heure. Préchauffez le four à 210 °C (th. 7). Étalez la pâte dans un moule à tarte, mettez au réfrigérateur pendant 30 minutes. Prélevez le zeste du citron avec un couteau économe et râpez-le. Recouvrez la pâte d'un papier sulfurisé et de billes de cuisson et faites-la cuire pendant 10 minutes à blanc. Mélangez dans un saladier le fromage blanc avec le sucre, le zeste de citron, puis ajoutez les œufs un à un en mélangeant bien et enfin l'extrait de vanille. Enfournez et laissez cuire 50 minutes. Servez tiède ou froid.

CHOCOLAT CHAUD À LA CANNELLE

Préparation : 10 min – Cuisson : 10 min

25 g de chocolat noir • ½ cuil. à soupe de cacao non sucré • 50 cl de lait • 1 cuil. à café de sucre • 2 pincées de cannelle en poudre

Réalisation

Cassez le chocolat en petits morceaux ou râpez-le. Faites-le fondre avec le cacao au bain-marie ou au micro-ondes. Réservez. Versez le lait dans une casserole, ajoutez le sucre, la cannelle et portez à ébullition. Retirez du feu, versez le chocolat fondu en fouettant et remettez sur le feu sans cesser de fouetter. Retirez à la reprise de l'ébullition et répartissez dans deux tasses. Servez immédiatement.

CHOUQUETTES

Préparation : 10 min – Cuisson : 45 min

60 g de farine tamisée • 2 œufs + 1 jaune • 50 g de beurre • 5 cl de lait + 1½ cuil. à soupe • sel • sucre en grains

Réalisation

Versez le lait dans une casserole, ajoutez 5 cl d'eau, une petite pincée de sel et le beurre coupé en morceaux. Portez à ébullition, puis retirez du feu et versez la farine en une seule fois. Fouettez vigoureusement, remettez sur le feu sans cesser de fouetter jusqu'à ce que la pâte se décolle des bords de la casserole. Ajoutez les œufs un par un en fouettant pour obtenir une pâte lisse. Préchauffez le four à 180 °C (th. 6). Recouvrez la plaque du four de papier sulfurisé. Déposez des petits tas de pâte sur la plaque à l'aide d'une poche à douille, ou à défaut avec deux cuillères à soupe. Battez le jaune d'œuf avec les cuillerées à soupe de lait, badigeonnez-en les choux, saupoudrez-les de sucre en grains. Faites cuire pendant 30 minutes, retirez du four et laissez refroidir.

CITRONNADE AU GINGEMBRE

Préparation : 5 min

2 citrons verts • 2 cm de gingembre frais • 2 cuil. à soupe de sirop de sucre de canne • 20 cl d'eau gazéifiée

Réalisation

Pelez et râpez le gingembre. Pressez les citrons. Versez le jus dans un broc, ajoutez le sucre de canne, le gingembre et allongez avec l'eau gazéifiée. Répartissez dans deux verres et placez au frais.

CŒURS DE MADELEINE AU CACAO

Préparation : 15 min – Cuisson : 10 min

70 g de farine • 30 g de sucre • 2 œufs • 5 ml de miel liquide • 1 cuil. à soupe de cacao non sucré • 70 g de beurre • 10 g de levure chimique • sel

Réalisation

Sortez le beurre à l'avance du réfrigérateur afin qu'il soit facile à travailler. Préchauffez le four à 180 °C (th. 6). Fouettez les œufs, puis ajoutez le sucre, une pincée de sel et le miel. Lorsque le mélange est homogène, incorporez la farine, le cacao et la levure, puis enfin le beurre ramolli. Garnissez une plaque de moules à madeleines en forme de cœurs avec la préparation. Enfournez et laissez cuire pendant 10 minutes. Démoulez et laissez refroidir.

***Coup de cœur :** dégustez avec une glace à la vanille, au café ou à la pistache.*

CONFITURE DE LAIT

Pour 1 pot de confiture – Préparation : 5 min – Cuisson : 2 h

25 cl de lait entier • 125 g de sucre • ½ gousse de vanille

Réalisation

Versez le lait dans une casserole et ajoutez le sucre. Ouvrez la demi-gousse de vanille en deux dans le sens de la longueur, retirez les graines avec la pointe d'un couteau et mettez-les dans le lait. Faites chauffer en mélangeant, baissez le feu au minimum et laissez cuire pendant 2 heures en mélangeant de temps à autre. Versez la confiture dans des pots de verre. Laissez refroidir avant de placer au réfrigérateur.

Coup de cœur : *vous pouvez garder la confiture pendant une semaine au frais. Dégustez-la avec de la brioche, des crêpes, ou simplement toute seule.*

COOKIES AUX ÉCLATS DE CHOCOLAT NOIR

Préparation : 15 min – Cuisson : 15 min

90 g de farine • 1 œuf • 60 g de sucre • 60 g de beurre • 50 g de chocolat noir • 2 gouttes d'extrait de vanille liquide • ½ sachet de levure chimique • sel

Réalisation

Préchauffez le four à 180 °C (th. 6). Versez le sucre dans un saladier, ajoutez le beurre en parcelles et fouettez jusqu'à ce que le mélange blanchisse. Ajoutez la vanille, l'œuf, du sel, la farine et la levure. Mélangez énergiquement. Coupez le chocolat en éclats à l'aide d'un couteau. Incorporez-les à la pâte.

Garnissez la plaque du four de papier sulfurisé et déposez des petits tas de pâte en les espaçant. Faites cuire pendant 10 à 15 minutes. Laissez refroidir avant de déguster.

CRÊPES AU FROMAGE BLANC ET AU SIROP D'ÉRABLE

Préparation : 5 min – Cuisson : 15 min

125 g de fromage blanc • 2 cuil. à soupe de farine • 1 œuf • 1 cuil. à soupe de sirop d'érable • 1 cuil. à soupe d'huile • sel

Réalisation

Versez le fromage blanc dans un saladier, ajoutez la farine, l'œuf entier, une pincée de sel et le sirop d'érable. Mélangez bien. Huilez une poêle à blinis, faites-la chauffer, versez une petite louche de pâte, étalez-la dans la poêle et laissez cuire à feu moyen pendant 1 minute. Retournez la crêpe, faites-la cuire de l'autre côté pendant 1 minute. Faites-la glisser sur un plat. Renouvelez l'opération jusqu'à épuisement de la pâte. Servez tiède avec du sirop d'érable.

***Coup de cœur :** accompagnez ces crêpes de fruits frais.*

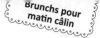

FAISSELLE, MIEL ET CANNELLE

Préparation : 5 min

2 faisselles individuelles • 2 cuil. à soupe de miel liquide • ½ cuil. à soupe de cannelle en poudre

Réalisation

Faites égoutter les faisselles, démoulez-les dans deux coupes. Arrosez-les de miel et saupoudrez-les de cannelle. Servez bien frais.

FROMAGE BLANC AUX HERBES

Réalisation : 5 min

250 g de fromage blanc • 1 échalote • ½ bouquet de ciboulette • ½ bouquet de persil plat • ½ branche de céleri • sel, poivre

Réalisation

Épluchez l'échalote, ôtez les feuilles de la branche de céleri, hachez-les avec le persil. Versez le fromage blanc dans un saladier, ajoutez le hachis, salez, poivrez généreusement et ajoutez la ciboulette ciselée finement. Répartissez dans deux ramequins.

GÂTEAU AU YAOURT ET AU CITRON

Préparation : 10 min – Cuisson : 35 min

½ yaourt nature • 1 pot de yaourt vide de sucre • 1½ pot de yaourt vide de farine • ½ pot de yaourt vide d'huile • 1 œuf • ½ citron non traité • 10 g de beurre • sel

Réalisation

Préchauffez le four à 150 °C (th. 5). Râpez le zeste du demi-citron. Mélangez dans un saladier le yaourt avec le sucre, la farine et une petite pincée de sel. Incorporez l'œuf entier, puis l'huile et le zeste de citron. Beurrez un petit moule à cake ou à manqué, versez la pâte et faites cuire pendant 35 minutes. Laissez refroidir et démoulez. Servez à température ambiante.

Coup de cœur : *glacez le gâteau avec un sirop fait avec la moitié du jus de citron et deux cuillerées à soupe de sucre glace.*

GAUFRES

Préparation : 10 min – Repos : 1 h – Cuisson : 15 min

50 g de farine tamisée • 10 g de sucre en poudre • 25 g de beurre • 2 œufs • 7 cl de lait • sel • sucre glace

Réalisation

Faites chauffer le lait avec le beurre. Versez la farine dans un saladier, ajoutez une petite pincée de sel, puis incorporez les œufs entiers un par un en fouettant. Versez le mélange lait et beurre, puis ajoutez le sucre. La préparation doit être fluide. Ajoutez un peu de lait si nécessaire. Laissez reposer au frais pendant 1 heure. Huilez un gaufrier, versez une louche de pâte et faites cuire pendant environ 4 minutes. Retirez la gaufre dorée, huilez à nouveau le gaufrier et poursuivez la cuisson. Laissez tiédir les gaufres et saupoudrez-les de sucre glace.

JUS DE FRUITS AUX ÉPICES

Préparation : 1 min – Cuisson : 2 min

1 bâton de cannelle • 1 clou de girofle • 2 cuil. à café de miel • 5 cl de jus de citron jaune • 5 cl de jus d'orange 100 % fruits sans sucre ajouté • 5 cl de jus de raisin

Réalisation

Faites chauffer les jus de fruits avec les clous de girofle, la cannelle et le miel à feu doux pendant 2 minutes et versez dans des mugs. Servez tiède.

JUS DE TOMATE AU CONCOMBRE

Préparation : 2 min

25 cl de jus de tomate • ½ concombre • 1 branche de céleri • 1 branche de persil plat

Réalisation

Pelez le concombre et retirez les graines. Coupez le céleri en tronçons. Effeuillez le persil. Passez-les au mixeur, délayez avec le jus de tomate. Servez frais.

Coup de cœur : *ajoutez deux gouttes de Tabasco pour une saveur plus forte.*

LASSI À LA VANILLE ET AU PAVOT

Préparation : 5 min

2 yaourts au lait de brebis • 10 cl de lait • 2 cuil. à soupe de sucre • ½ gousse de vanille • ½ cuil. à soupe de graines de pavot

Réalisation

Versez le lait, les yaourts et le sucre dans le bol d'un mixeur. Ouvrez la gousse de vanille en deux dans le sens de la longueur, retirez les graines avec la pointe d'un couteau, versez-les dans le lait. Mixez pour que le mélange mousse. Versez dans deux verres, saupoudrez de graines de pavot. Servez bien frais.

MINI BROCHETTES DE POULET THAÏES

Préparation : 10 min – Marinade : 3 h – Cuisson : 10 min

2 blancs de poulet • ½ cuil. à soupe de cassonade • 1 cuil. à soupe de sauce de soja • ½ cuil. à soupe de gingembre en poudre • 7 cl de lait de coco • ¼ de citron vert • ½ cuil. à café de cinq-épices • 2 branches de coriandre

Réalisation

Pressez le quartier de citron, versez le jus dans un plat creux, ajoutez le lait de coco, la sauce de soja, la cassonade, le gingembre, le cinq-épices. Mélangez. Détaillez les blancs de poulet en cubes, mettez-les dans la marinade et laissez en attente au frais pendant 3 heures. Égouttez les cubes de poulet, répartissez-les sur quatre petites brochettes et faites-les cuire dans une poêle à revêtement antiadhésif en les retournant régulièrement pendant 10 minutes. Ciselez très finement la coriandre, roulez les brochettes de poulet dedans. Versez un peu de sauce

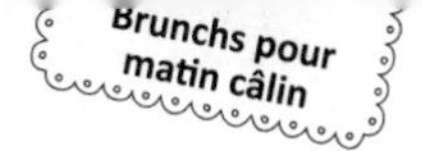

dans deux verrines et disposez deux petites brochettes dans chacune d'elle. Servez chaud ou tiède.

MOUSSE DE FROMAGE BLANC À LA CONFITURE

Préparation : 5 min

200 g de fromage blanc • 10 cl de crème liquide • 2 cuil. à soupe de sucre • 2 cuil. à soupe de confiture de votre choix

Réalisation

Mélangez le fromage blanc et le sucre. Répartissez le fromage blanc dans deux coupes, déposez au centre un peu de confiture. Fouettez la crème liquide jusqu'à ce qu'elle prenne consistance, recouvrez la confiture de crème fouettée. Servez bien frais.

MUFFINS

Pour 6 pièces – Préparation 10 min – Attente : 1 h – Cuisson : 45 min

225 g de farine • 17 cl de lait • 20 g de levure • 50 g de beurre • 20 g de sucre • ½ cuil. à café de sel

Réalisation

Laissez le beurre à température ambiante pendant au moins 1 heure avant la préparation de la pâte afin qu'il soit ramolli. Faites tiédir le lait. Mettez la farine dans un saladier, ajoutez le sel et la levure, puis versez peu à peu le lait en remuant sans cesse jusqu'à obtention d'une pâte élastique. Ajoutez le beurre et le sucre, mélangez bien. Recouvrez d'un torchon et laissez en attente pendant 1 heure. Farinez un plan de travail, déposez la pâte, aplatissez-la et découpez des disques de la taille d'une poêle à blinis avec un verre ou un emporte-pièce. Mettez ces disques de pâte sur un plat, recouvrez-les d'un torchon et laissez-les lever près d'une source de chaleur (radiateur, plaque de cuisson, four...). Graissez une poêle à blinis avec un peu de beurre et faites cuire chaque muffin pendant 2 minutes par côté.

Coup de cœur : *coupez les muffins en deux, passez-les au grille-pain et accompagnez-les de beurre, de confiture, de miel ou de sirop d'érable.*

NAVETTES AU JAMBON

Préparation : 10 min

8 navettes (mini pains au lait) • 2 tranches de jambon blanc • 25 g de beurre

Réalisation

Sortez le beurre à l'avance du réfrigérateur pour qu'il soit facile à étaler. Ouvrez les navettes en deux et tartinez les deux faces de beurre. Dégraissez le jambon. Coupez des lamelles de la taille des navettes. Déposez une ou deux lamelles dans chaque navette, reposez l'autre moitié dessus. Recouvrez d'un film alimentaire et conservez au frais en attendant de servir.

Coup de cœur : *vous pouvez farcir ces navettes avec du pâté de foie, du tarama ou de la crème de gruyère.*

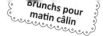

ŒUFS EN BRIOCHE

Préparation : 10 min – Cuisson : 10 min

2 brioches individuelles • 2 gros œufs • 50 g de gruyère râpé • 25 g de beurre • sel, poivre

Réalisation

Préchauffez le four à 180 °C (th. 6). Enlevez le chapeau des brioches et creusez-les délicatement pour ne pas percer la croûte. Mettez dans chaque brioche évidée un petit morceau de beurre, cassez-y un œuf, ajoutez une grosse pincée de gruyère râpé, salez légèrement, poivrez. Disposez les brioches dans un plat à four avec leurs chapeaux et faites cuire 10 minutes environ. Surveillez la cuisson : le blanc doit être pris et le jaune, rester liquide. Servez les brioches recouvertes de leur chapeau.

PAINS AU LAIT DORÉS AU SUCRE

Préparation : 20 min – Attente : 45 min – Cuisson : 20 min

250 g de farine • 70 g de beurre • 15 cl de lait + 1½ cuil. à soupe • 1 œuf + 1 jaune • 7 g de levure de boulanger • 60 g de sucre • 1½ cuil. à soupe d'eau de fleur d'oranger • sel

Réalisation

Sortez le beurre à l'avance du réfrigérateur. Faites tiédir le lait. Versez la levure dans un bol, arrosez-la de lait tiède et laissez reposer à température ambiante pendant 15 minutes. Mélangez dans une terrine la farine, 40 g de beurre fractionné, l'œuf entier, le sucre et une pincée de sel. Pétrissez quelques minutes puis incorporez le levain et l'eau de fleur d'oranger.

Pétrissez pour obtenir une pâte homogène. Recouvrez la pâte d'un torchon et laissez-la lever dans un endroit tiède pendant 30 minutes. Préchauffez le four à 210 °C (th. 7). Recouvrez la plaque du four de papier sulfurisé. Partagez la pâte en plusieurs boules, façonnez-les pour leur donner la forme d'un petit pain long. Battez le jaune d'œuf avec la cuillerée à soupe et demie de lait, badigeonnez les pains au pinceau avec ce mélange pour les dorer. Déposez ces pains sur la plaque du four et faites cuire pendant 15 minutes. Laissez-les refroidir. Ouvrez les pains en deux, tartinez-les de beurre, saupoudrez-les de sucre et faites-les dorer sous le gril du four. Laissez tiédir avant de servir.

PANCAKES AU SIROP D'ÉRABLE

Préparation : 15 min – Attente : 30 min – Cuisson : 15 min

85 g de farine • 12 g de sucre • 10 cl de lait • ½ sachet de levure • 2 œufs • 25 g de beurre • sirop d'érable • sel

Réalisation

Mettez 30 g de farine dans un grand bol avec la levure, et arrosez avec une cuillerée à soupe et demie de lait, mélangez rapidement. Versez le reste de farine dans un saladier, faites un puits, ajoutez une pincée de sel, le sucre et les œufs battus. Mélangez bien. Incorporez le levain puis le reste de lait. Laissez reposer pendant 30 minutes dans un endroit tempéré. Faites chauffer une petite noisette de beurre dans une poêle, versez une petite louche de pâte, et faites cuire pendant 1 minute environ. Retournez le pancake dès qu'il est doré et faites cuire de l'autre côté. Déposez sur une assiette et réservez au chaud.

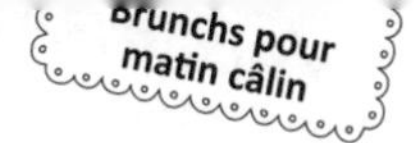

Préparez les autres pancakes de la même manière. Tartinez-les de sirop d'érable et servez immédiatement.

PASSION À LA ROSE

Préparation : 2 min

20 cl de jus de fruit de la passion • 2 cuil. à soupe de sirop de rose • 2 litchis

Réalisation

Mélangez le jus de fruits et le sirop, versez-les dans deux verres, décorez d'un litchi. Placez au frais.

PETITS CAKES AU FROMAGE

Préparation : 5 min – Cuisson : 45 min

90 g de farine • 2 œufs • 5 cl de lait • 5 cl d'huile • ½ sachet de levure • 125 g de gruyère râpé • 10 g de beurre • sel, poivre

Réalisation

Préchauffez le four à 180 °C (th. 6). Beurrez des petits moules individuels ou mieux encore une plaque à cakes en silicone. Mettez la farine et la levure dans une terrine, ajoutez les œufs entiers puis le lait, l'huile, le gruyère et un peu de sel et de poivre. Mélangez au fouet. Versez la préparation dans les moules et enfournez. Laissez cuire 35 à 40 minutes. Vérifiez la cuisson en plongeant la lame d'un couteau dans la pâte. Démoulez et laissez refroidir avant de servir.

PETITS CAKES GLACÉS AU CITRON

Préparation : 10 min – Cuisson : 40 min

100 g de farine • 70 g de sucre • 70 g de beurre + 10 g pour le moule • 2 œufs • ½ sachet de levure • sel

Glaçage : 1½ citron non traité • 100 g de sucre glace

Décor : confettis en sucre • noisettes concassées • amandes effilées • perles argentées • fruits rouges

Réalisation

Sortez à l'avance le beurre du réfrigérateur. Prélevez le zeste d'un citron avec un couteau économe, râpez-le. Pressez le fruit. Préchauffez le four à 180 °C (th. 6). Beurrez des moules à darioles ou des petits moules en verre individuels. Fouettez le sucre et le beurre pour obtenir une pâte mousseuse. Ajoutez la farine, la levure, les œufs battus, le zeste et le jus du citron ainsi qu'une pincée de sel. Mélangez bien. Versez la pâte dans les moules et faites cuire 40 minutes environ. Vérifiez la cuisson puis laissez reposer 5 minutes. Démoulez et laissez refroidir. Pressez les deux autres citrons, versez le jus dans un saladier, ajoutez le sucre glace et mélangez bien. Passez le glaçage au pinceau sur les cakes. Laissez sécher puis renouvelez l'opération plusieurs fois. Décorez le dessus des cakes avec des confiseries, des fruits secs ou des fruits rouges frais.

PETITS GÂTEAUX AUX CERISES

Préparation : 15 min – Cuisson : 35 min

1 œuf • 85 g de sucre • 125 g de farine • ¼ de sachet de levure • 10 cl de lait • 4 cl d'huile • 10 g de beurre • 6 cerises dénoyautées • sucre glace • sel

Réalisation

Préchauffez le four à 180 °C (th. 6). Versez le sucre dans un saladier, ajoutez l'œuf entier, mélangez bien puis versez l'huile peu à peu sans cesser de mélanger. Incorporez la farine, la levure, un peu de sel, puis ajoutez le lait. Beurrez six moules individuels. Versez un peu de pâte dans chacun, déposez au centre une cerise et enfournez. Laissez cuire pendant 35 minutes. Laissez refroidir et saupoudrez de sucre glace au moment de servir.

Coup de cœur : *vous pouvez ajouter à la pâte un peu de kirsch.*

ROCHERS COCO

Préparation : 5 min – Cuisson : 15 min

60 g de noix de coco râpée • 1 œuf • 35 g de sucre

Réalisation

Préchauffez le four à 180 °C (th. 6). Battez l'œuf en omelette dans un saladier, ajoutez le sucre et la noix de coco, mélangez bien à la fourchette. Disposez la pâte en deux tas sur la plaque du four et laissez cuire pendant 15 minutes en surveillant la couleur. Laissez refroidir et servez à température ambiante.

SCONES AU MIEL ET AUX RAISINS

Pour 6 pièces – Préparation : 10 min – Cuisson : 10 min

125 g de farine complète • ½ sachet de levure • 1 cuil. à soupe de miel liquide • 2 œufs • 37 g de beurre • 2,5 cl de lait + ½ cuil. à soupe • 25 g de raisins secs • sel

Réalisation

Sortez le beurre à l'avance du réfrigérateur. Préchauffez le four à 210 °C (th. 7). Beurrez la plaque du four. Mélangez la farine et la levure. Ajoutez une pincée de sel, le miel et le beurre ramolli coupé en morceaux. Pétrissez, puis ajoutez un œuf entier battu. Pétrissez encore et versez le lait peu à peu jusqu'à obtenir une pâte souple. Ajoutez enfin les raisins secs. Étalez la pâte sur une planche farinée, découpez des cercles avec un emporte-pièce ou un verre retourné. Déposez-les sur la plaque. Battez l'œuf restant à la fourchette avec un peu de lait. Badigeonnez-en les scones. Faites cuire pendant 10 minutes. Les scones doivent être dorés et gonflés. Laissez tiédir.

Coup de cœur : *servez avec du beurre frais et de la marmelade. Vous pouvez remplacer les raisins par des écorces d'orange coupées en petits morceaux.*

SMOOTHIE ANANAS PASSION

Préparation : 2 min

15 cl de jus d'ananas • 15 cl de jus de fruit de la passion • 2 yaourts brassés nature

Réalisation

Mélangez les jus de fruits avec le yaourt. Servez très frais.

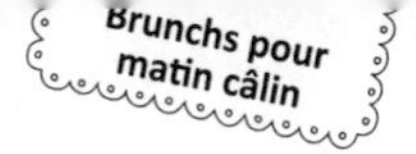

SMOOTHIE BANANE COCO

Préparation : 2 min

2 yaourts brassés nature • 2 bananes • 2 cuil. à soupe de noix de coco râpée

Réalisation

Pelez les bananes, coupez-les en rondelles et mixez-les avec les yaourts. Versez dans deux verres et parsemez de noix de coco râpée. Servez très frais.

TARTELETTES AU NUTELLA

Préparation : 10 min – Cuisson : 20 min

½ rouleau de pâte sablée • ½ pot de Nutella (100 g) • 1 œuf • ½ cuil. à café de Maïzena • quelques Smarties pour le décor

Réalisation

Préchauffez le four à 180 °C (th. 6). Étalez la demi-pâte, découpez deux cercles à la dimension de vos moules. Garnissez les moules de pâte en laissant le papier de cuisson. Piquez la pâte de coups de fourchette, recouvrez-la de papier sulfurisé et mettez dessus des billes de cuisson ou des légumes secs. Faites cuire les fonds de tarte à blanc pendant 10 minutes. Retirez-les, enlevez les billes de cuisson et le papier sulfurisé. Battez l'œuf en incorporant peu à peu la Maïzena et le Nutella. Garnissez les tartelettes et faites cuire pendant 10 minutes. Laissez refroidir les tartelettes avant de les décorer avec des Smarties.

TARTINES AUX FRAISES

Préparation : 5 min – Cuisson : 7 min

2 tranches de pain brioché • 50 g de beurre + 10 g pour le plat • 50 g de sucre cristallisé • 12 fraises Mara des bois

Réalisation

Préchauffez le four à 210 °C (th. 7). Beurrez un plat à four. Beurrez les tranches de pain brioché puis saupoudrez-les de sucre. Déposez-les dans le plat et enfournez. Laissez cuire pendant 5 minutes environ. Lavez les fraises, essuyez-les délicatement et équeutez-les. Coupez-les en deux si elles sont grosses. Déposez les fraises sur les tranches de pain et passez sous le gril pendant 2 minutes. Laissez tiédir avant de servir.

TARTINES DE CHÈVRE AU MIEL

Préparation : 10 min – Cuisson : 5 min

½ ficelle de pain • ¼ de Sainte Maure • 4 tranches de magret de canard au poivre • 4 cuil. à café de miel liquide

Réalisation

Coupez la demi-ficelle en rondelles. Coupez le fromage en rondelles également, écroûtez-les. Disposez sur chaque tranche de pain une tranche de magret et une rondelle de fromage. Mettez les tartines sur la plaque du four et faites griller pendant 5 minutes. Déposez une petite cuillerée de miel sur chacune.

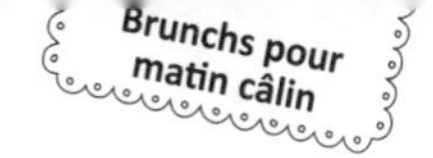

TATINS DE TOMATES

Préparation : 20 min – Cuisson : 45 min

½ fond de pâte feuilletée • 1 grosse tomate • 25 g de beurre • 1 cuil. à soupe d'huile d'olive • 1 cuil. à soupe de vinaigre balsamique • ½ cuil. à soupe de sucre • sel, poivre

Réalisation

Coupez les tomates en deux dans le sens de la largeur. Faites chauffer le beurre et l'huile dans une sauteuse, mettez les tomates et faites-les cuire pendant 5 minutes à feu vif. Versez le sucre et le vinaigre dans la sauteuse, salez, poivrez, et poursuivez la cuisson à feu doux pendant 15 minutes en surveillant. Préchauffez le four à 180 °C (th. 6). Déposez chaque demi-tomate dans un ramequin. Découpez deux cercles de pâte d'une dimension un peu supérieure à celle des ramequins. Déposez un cercle de pâte sur chaque demi-tomate. Laissez cuire pendant 20 minutes. Servez tiède dans les ramequins.

THÉ AU MIEL ET À LA MUSCADE

Préparation : 2 min – Cuisson : 2 min

½ théière de thé de Chine • ½ cuil. à café de noix de muscade en poudre • 2 cuil. à soupe de miel

Réalisation

Préparez le thé, couvrez-le et laissez-le infuser. Ajoutez le miel et la noix de muscade.

TOASTS AUX ŒUFS

Préparation : 10 min – Cuisson : 15 min

2 grandes tranches de pain de mie carré • 2 œufs • 50 g de dés de jambon • 25 g de beurre • 1 cuil. à soupe de farine • 5 cl de lait • 20 g de fromage râpé • sel, poivre

Réalisation

Faites durcir les œufs dans de l'eau bouillante pendant 10 minutes. Rafraîchissez-les, écalez-les. Faites fondre le beurre dans une casserole, saupoudrez de farine, mélangez bien et faites cuire 2 minutes, puis arrosez peu à peu avec le lait chaud en fouettant pour éviter les grumeaux. Salez, poivrez. Ajoutez les dés de jambon et les œufs durs coupés en morceaux. Toastez les tranches de pain de mie, tartinez-les avec la préparation, saupoudrez-les de fromage râpé et disposez-les dans un plat à four. Faites gratiner 5 minutes et servez chaud ou tiède.

YAOURTS À LA FLEUR D'ORANGER ET À LA CASSONADE

Préparation : 5 min

2 yaourts brassés nature • 2 cuil. à café de cassonade • 1 cuil. à soupe d'eau de fleur d'oranger

Réalisation

Versez les yaourts dans deux verres, ajoutez l'eau de fleur d'oranger et la cassonade, mélangez bien et servez très frais.

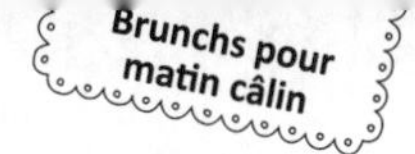

YAOURTS, MIEL ET CAFÉ

Préparation : 2 min – Cuisson : 3 min

2 yaourts veloutés nature • 1 cuil. à soupe de café lyophilisé • 1 cuil. à soupe de sucre en poudre • 1½ cuil. à soupe de miel

Réalisation

Versez le café lyophilisé dans une tasse, arrosez-le d'eau bouillante. Versez le sucre et le miel dans une casserole, mouillez avec une cuillerée à soupe d'eau et faites chauffer pour obtenir un caramel blond. Arrosez de café et poursuivez la cuisson jusqu'à ce que le mélange devienne sirupeux. Versez les yaourts dans deux verres, arrosez de miel au café.

Index
des recettes

MISES EN BOUCHE

ENTRÉES ROMANTIQUES

SNACK À DEUX

PETITS PLATS POUR DÎNER EN TÊTE À TÊTE

UN AMOUR DE VIANDE

Index

UN AMOUR DE POISSON

Ô LES BEAUX LÉGUMES

À L'HEURE DES DOUCEURS

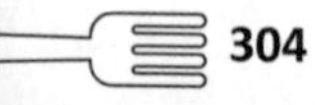

BRUNCHS POUR MATIN CÂLIN

Index
alphabétique

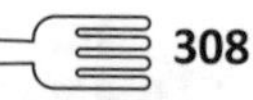

Index
alphabétique

D

E

F

G

H

J

K

Index
alphabétique

Q

R

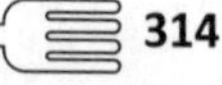

Index
alphabétique

V

Y

Dans la même collection

- 5,90€
- 320 PAGES

ISBN : 978 2 7540 1762 6

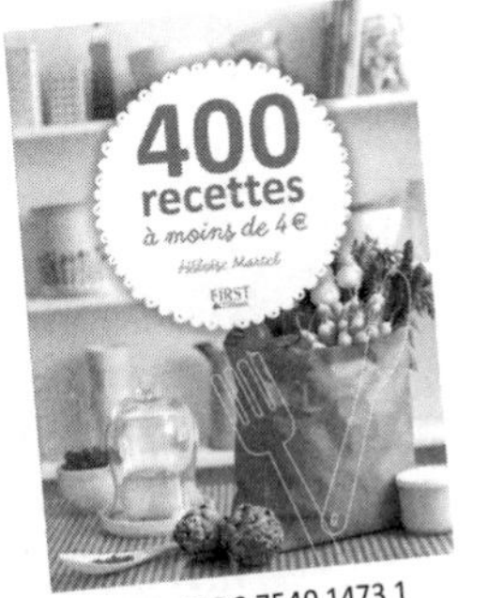

ISBN : 978 2 7540 1473 1

ISBN : 978 2 7540 1747 3